LE TERRORISME ISLAMIQUE

LES DOSSIERS SECRETS DE MONSIEUR X

Dans la même collection :

Morts suspectes sous la Ve République

Suivi éditorial : Sabine Sportouch
Maquette intérieure : Annie Aslanian
Corrections : Catherine Garnier

Contact presse : Carine Fadat

© Nouveau Monde éditions, 2008
24, rue des Grands-Augustins – 75006 Paris
ISBN : 978-2-84736-293-0
Dépôt légal : janvier 2008
N° d'impression : 44945
Imprimé en France par Groupe CPI - Brodard et Taupin

Monsieur X / Patrick Pesnot

LE TERRORISME ISLAMIQUE

LES DOSSIERS SECRETS DE MONSIEUR X

nouveau monde éditions

Pour Élie et Samuel

Remerciements

Merci à Rébecca Denantes, Yannick Dehée, Jean-Pierre Guéno, Catherine Pesnot et Sabine Sportouch.

Avant-propos

Faut-il avoir peur de l'islamisme ? Et quelle est la part de fantasmes dans cette prétendue guerre des civilisations qui opposerait l'Occident au monde musulman ?

Ce sont quelques-unes des questions auxquelles répond le présent volume à travers le récit d'affaires célèbres où ont été impliqués des chefs et des mouvements islamistes. Assassinats, attentats, manipulations, tout un chapelet d'événements qui ont marqué les quarante dernières années.

Si un très long chapitre est consacré aux convulsions libanaises, c'est que non seulement l'actualité l'impose mais que le Liban est au cœur du développement du terrorisme islamiste. Après avoir accueilli les camps d'entraînement palestiniens dans les années 1970, ce pays qu'on appelait autrefois « la Suisse du Proche-Orient » a vu passer les terroristes les plus dangereux. Et à partir des années 1980, il héberge les preneurs d'otages et voit naître sur son territoire le Hezbollah pro-iranien.

I

Abou Nidal, terroriste à louer ?

Est-il seulement mort ?

Le décès de l'homme le plus mystérieux du Proche-Orient n'est même pas certain. Abou Nidal, l'un des terroristes les plus redoutables des années 1970 et 1980, un Palestinien qui s'est toujours gardé d'apparaître en public et a fui les photographes toute sa vie, est vraisemblablement mort à Bagdad en 2002 dans des circonstances qui n'ont jamais vraiment été élucidées.

Mais qui était ce terroriste à qui l'on attribuait un bon millier de morts et des dizaines d'attentats ? Un petit bonhomme qui ne payait pas de mine, un bureaucrate de la lutte armée, d'après ceux qui l'ont connu. Un type qui, paradoxalement, avait personnellement peur de la violence et savait à peine se servir du pistolet-mitrailleur polonais WZ 63 qui ne quittait jamais son attaché-case.

Étrange personnage qui s'est mis successivement, lui et son organisation de tueurs, au service de la plupart des pays arabes de la région et qui, farouche adversaire de Yasser Arafat, a peut-être fait assassiner plus de dirigeants palestiniens que les Israéliens eux-mêmes !

Abou Nidal est donc un mythe. Une sorte de super-Carlos. Ou de Ben Laden. Et, à l'instar de ces deux-là, il a été une cible pour de nombreux services secrets. Jusqu'à ce jour d'août 2002 où l'on a retrouvé le corps de ce terroriste à la retraite dans un appartement de Bagdad. Les Irakiens ont déclaré qu'Abou Nidal, très malade – il souffrait semble-t-il d'une leucémie – aurait choisi d'en finir avec la vie. Mais les rares personnes qui ont vu le corps ont affirmé que la dépouille du terroriste était criblée de balles : sa mort demeure un mystère tout comme l'a été sa vie.

L'assassinat semble quand même vraisemblable. Nombreux étaient ceux qui avaient de bonnes raisons de vouloir l'éliminer.

D'abord les Palestiniens de l'OLP. Abou Nidal avait mené une lutte sans merci contre les amis de Yasser Arafat qu'il accusait de vouloir trouver un arrangement avec Israël. Mais les Israéliens aussi : Abou Nidal avait commandité de nombreux attentats contre des Juifs. Il est également possible de s'interroger sur la responsabilité de plusieurs services secrets de pays arabes qui, les uns après les autres, ont été trahis par le terroriste.

Enfin, il y avait les Irakiens qui lui avaient donné refuge après s'être fâchés avec lui à de nombreuses reprises. En 2002, les Irakiens pouvaient déjà craindre une attaque américaine. Saddam Hussein a peut-être eu envie de se débarrasser de cet hôte très encombrant qui faisait tache dans le paysage irakien. À moins qu'il n'ait voulu d'abord condamner au silence cet homme de l'ombre qui en savait beaucoup sur son régime. Beaucoup trop !

Kenneth Timmerman, spécialiste du Moyen-Orient[1] :
« Ce pourrait être le Mossad. Après une série de revers, les services secrets israéliens démontreraient ainsi leur capacité à opérer à Bagdad, un des environnements les plus hostiles de la planète... L'opposition irakienne serait une autre possibilité. Elle aspire, en effet, à prendre le pouvoir après l'intervention américaine annoncée et démontrerait à Washington, en assassinant le vieux dirigeant palestinien, sa capacité à agir au cœur du pays. En tout cas, toutes ces hypothèses valent mieux qu'un suicide »...

Tous ceux qui ont approché Abou Nidal ont décrit un personnage d'un commerce aimable, physiquement fragile. Mais c'était un vernis. Le terroriste était en vérité un paranoïaque qui avait tendance à voir des complots partout. Un ambitieux aussi, fasciné par l'argent et persuadé d'être un homme supérieur. Autre trait de caractère qui a particuliè-

---

1. *Wall Street Journal*, 2002.

rement frappé ses interlocuteurs : Abou Nidal était terrifié par la violence qui pouvait être exercée à son endroit. Alors même que, sa vie durant, il a commandité des actions sanglantes. Mais Abou Nidal a rarement agi lui-même. Il lançait ses tueurs mais se gardait bien d'intervenir personnellement.

Ceux qui le connaissaient bien ont même prétendu qu'il aurait été incapable de se servir d'une arme. Enfin ce curieux terroriste avait un sérieux défaut : une tendance à boire du whisky plus qu'il n'était raisonnable !

Son vrai nom était Sabri Al-Banna, Abou Nidal étant un nom de guerre qui signifie « le Père de la lutte ».

Il est né en Palestine, dans la ville de Jaffa, un peu avant la Seconde Guerre mondiale. Son père est un riche propriétaire terrien dont le domaine sera confisqué par les sionistes peu après la création de l'État d'Israël. Un détail qui a sans doute son importance, même sans faire de la psychologie de bas étage : la mère de Sabri est une domestique ! Le père d'Abou Nidal, qui a déjà de nombreuses femmes, finit par l'épouser. Mais dès la mort de son mari, en 1945, le clan familial la chasse. Le jeune Sabri sera durablement marqué par ce fait. D'autant que, élevé dans la famille paternelle avec ses demi-frères et sœurs, il est mis à l'écart et reste à jamais l'enfant de la domestique !

Lorsque les Al-Banna sont expulsés, ils trouvent refuge dans un secteur encore contrôlé par les Égyptiens. Mais après la première guerre israélo-arabe, ils s'installent dans un camp de réfugiés de Gaza puis ils partent pour Naplouse, une ville de Cisjordanie, alors partie intégrante du royaume de Jordanie. Pour cette famille qui vivait de façon très aisée, c'est un choc à la fois psychologique et économique.

Sabri, le vilain petit canard de la famille, abandonne très vite ses études et gagne sa vie en effectuant de modestes travaux. Il vivote. Et plutôt mal. Il essaie quand même de reprendre ses études. Mais il a pris trop de retard et renonce.

Comme la grande majorité des Palestiniens expulsés, il est naturellement très hostile à Israël. L'action politique le tente. Il rejoint la branche jordanienne du parti Baas, une organisation panarabe, très nationaliste, d'inspiration socialiste et résolument antisioniste.

11

Sabri participe à des manifestations puis, à peine âgé de 18 ans, part pour l'Arabie saoudite. Le jeune homme veut d'abord travailler. Il crée à Ryad une société artisanale de peinture et d'électricité qui devient assez vite florissante. Mais il n'a pas oublié la politique et fonde un petit mouvement, l'Organisation secrète de Palestine, qui ambitionne d'envoyer des émissaires dans toutes les capitales arabes.

Dès la création du Fatah, à la fin des années 1950, Abou Nidal se joint à ce mouvement de libération de la Palestine dont beaucoup de membres sont des Frères musulmans d'origine palestinienne chassés d'Égypte par Nasser.

Sabri Al-Banna, qui va bientôt se faire appeler Abou Nidal, est rapidement remarqué par ses pairs, dont Yasser Arafat. Il a du bagout, de l'entregent. Et il occupe déjà une situation enviable en Arabie saoudite.

Il devient peu à peu un membre éminent du Fatah mais ses activités politiques indisposent les autorités de son pays d'accueil : les Saoudiens n'apprécient pas beaucoup la présence chez eux de ces Palestiniens turbulents.

Expulsé d'Arabie après avoir peut-être été torturé, il s'installe à Amman, la capitale de la Jordanie, et monte une nouvelle entreprise qui connaît rapidement le succès. Ses bureaux deviennent un point de rencontre pour les militants du Fatah, organisation clandestine qui, à partir de 1965, se lance dans l'action armée. Il s'agit essentiellement d'incursions dans les villages frontaliers à l'intérieur d'Israël.

Après la guerre des Six-Jours et l'occupation par Tsahal de la Cisjordanie et de Gaza, Abou Nidal est envoyé au Soudan où il est chargé de représenter le Fatah qui vient d'adhérer à l'OLP, l'Organisation de libération de la Palestine. Puis Abou Nidal revient à Amman et part en Irak juste avant ce qu'on a appelé « Septembre noir », c'est-à-dire le massacre des Palestiniens par l'armée du roi Hussein et leur expulsion de Jordanie qui les conduit à s'installer au Liban. Un événement qui aura une importance énorme dans l'histoire du mouvement palestinien et aussi dans celle de toute la région.

En Irak, Abou Nidal conforte sa position et noue des contacts avec les gens qui comptent, mais aussi avec tous les Palestiniens qui passent par Bagdad. Il obtient également du régime baassiste l'autorisation de créer des camps d'entraînement dans le pays. Enfin c'est lui aussi qui collecte armes et argent pour la cause palestinienne. Dès lors, personnage indispensable, Abou Nidal se pose en rival d'Arafat.

En fait, l'évolution du « Père de la lutte » a commencé avec « Septembre noir ». Il accuse à demi-mot certains leaders de l'OLP de s'être conduits en lâches et d'avoir signé un cessez-le-feu avec le roi Hussein.

Ses attaques se font de plus en plus violentes. Elles ne visent pas nommément Arafat mais il est évident que le dirigeant palestinien ne peut pas ne pas comprendre. Et, à force de provocations, Abou Nidal finit par être exclu de l'OLP. C'est sans doute ce qu'il cherche : quand il comprend qu'il ne peut pas prendre la place de Yasser Arafat, il choisit la rupture afin de créer sa propre organisation. Ce sera le « Fatah-Conseil révolutionnaire ».

Les Irakiens, malgré la rupture avec Arafat qu'ils n'aiment guère, continuent à l'héberger et à lui permettre d'entraîner ses hommes grâce à l'argent des riches pays arabes de la région qui préfèrent financer les mouvements palestiniens plutôt que de les voir s'installer chez eux.

Ce bureaucrate de la terreur, comme on l'a surnommé, engage ses commandos dans une première action à la fin de l'été 1973. Cinq Palestiniens armés parviennent à pénétrer dans l'ambassade saoudienne à Paris. Ils prennent une dizaine de membres du personnel diplomatique en otage et réclament la libération d'un ami d'Abou Nidal, Abou Daoud, emprisonné et torturé en Jordanie après avoir vraisemblablement tenté d'assassiner le roi Hussein.

Après de longues négociations, le gouvernement français autorise les terroristes et leurs otages à prendre un vol pour le Koweït. C'est dans cet émirat, à la suite d'un aller-retour à Ryad, que les otages finiront par être libérés. Trois semaines plus tard, sous la pression de l'Arabie saoudite, les Jordaniens consentent à élargir Abou Daoud.

Ce premier succès est très représentatif de ce qui va devenir la méthode Abou Nidal. Certes, l'objectif apparent est l'obtention de la libération d'Abou Daoud. Mais, en réalité, cette affaire cache autre chose. La prise d'otages coïncide en effet exactement avec l'ouverture à Alger de la quatrième conférence des pays non-alignés. Un sommet que l'Irak a décidé de bouder. La spectaculaire prise d'otages du commando Abou Nidal parasite et même torpille la conférence.

En organisant cette opération, Abou Nidal a d'abord voulu donner satisfaction aux Irakiens dont il était le protégé. Le chef terroriste ne tarde pas à recevoir sa récompense : Bagdad transfère au Fatah-Conseil révolutionnaire tous les privilèges qui étaient auparavant accordés à l'OLP.

Inévitablement la guerre éclate entre les deux organisations rivales. Elle est particulièrement sanglante. Abou Nidal s'attaque en priorité à ses anciens amis et en fait assassiner un bon nombre. Ce qui lui vaut d'être lui-même condamné à mort par l'OLP.

La plupart de ces meurtres de Palestiniens ne sont pas revendiqués. Ou alors, quand ils le sont, ils sont signés par des mouvements aux noms fantaisistes inventés pour la circonstance afin de brouiller les pistes. Or qui peut avoir intérêt à commettre ces meurtres ? D'abord les Israéliens. Mais c'est Abou Nidal, l'ennemi des Palestiniens modérés, qui frappe. Étrange confusion de mobiles ! Un point obscur qui sera éclairci à la fin de ce chapitre.

En même temps, Abou Nidal structure son organisation. Il la dote d'une administration, de services secrets, d'une division militaire, crée une radio et surtout plusieurs camps d'entraînement où sont formés les futurs terroristes. Le Fatah-Conseil révolutionnaire, grâce à l'Irak, monte donc en puissance et, à l'occasion, continue à donner un coup de main à son protecteur.

Ainsi, il est pratiquement acquis que ce sont les hommes d'Abou Nidal qui massacrent systématiquement les communistes irakiens. Sans doute à partir de renseignements fournis par la CIA.

Le chef terroriste n'a aucun mal à recruter. Dans les camps de réfugiés palestiniens, nombreux sont les jeunes qui vivent dans des conditions misérables. Abou Nidal leur propose d'échapper à la promiscuité et de lutter pour un idéal : le combat contre le sionisme et l'impérialisme, pour la libération de la Palestine.

Pour autant, ces camps d'entraînement sont loin de ressembler aux villages du Club Med'. La discipline est rigoureuse, les contacts avec l'extérieur limités et gare à celui qui ne respecte pas les consignes. Les punitions pleuvent et cela peut aller jusqu'à la mort tant Abou Nidal est obsédé par la trahison.

Tout au long de ces années qui suivent la création du Fatah-Conseil révolutionnaire, l'organisation multiplie assassinats et attentats. Quelques exemples pour la seule deuxième partie de l'année 1976 : en septembre, un commando attaque un hôtel en Syrie. L'affaire se termine en carnage. En octobre, ce sont les ambassades syriennes de Rome et d'Islamabad qui sont visées. Puis l'hôtel intercontinental à Amman en novembre et enfin, en décembre, un autre commando rate de peu le ministre syrien des Affaires étrangères.

La Syrie et la Jordanie sont les principales cibles, deux pays qui entretiennent des relations détestables avec l'Irak ! Abou Nidal n'oublie jamais de rendre service à son puissant protecteur.

Mais l'Égypte, qui vient de signer les accords de Camp David avec Israël, n'est pas oubliée. En 1978, son ministre de la Culture est abattu à Nicosie, capitale de Chypre. Quant à l'OLP, elle demeure une cible permanente. Toujours en 1978, plusieurs dirigeants tombent sous les balles des hommes d'Abou Nidal : les représentants de l'OLP à Londres, au Koweït et à Paris. Une véritable hécatombe !

Arafat est dans l'impossibilité de répliquer : à Bagdad, Abou Nidal est trop bien protégé. Mais, en dehors de leur sanctuaire irakien, les hommes du Fatah-Conseil révolutionnaire sont plus vulnérables. Plusieurs sont éliminés au cours de cette guerre impitoyable entre frères ennemis.

Cependant, Abou Nidal connaît bientôt quelques difficultés avec son mécène irakien. Saddam Hussein, qui était jusque-là le numéro deux du régime, accède au pouvoir suprême en 1979 et amorce une politique de réconciliation avec les pays arabes tandis que la confrontation avec l'Iran des ayatollahs semble inévitable. En même temps le président irakien sait qu'il aura besoin de l'aide militaire de l'Occident. La protection que son pays accorde au terroriste Abou Nidal peut devenir embarrassante. Par conséquent, Saddam Hussein prend progressivement ses distances avec l'ennemi de Yasser Arafat. Conséquence : Abou Nidal va devoir se trouver un nouveau protecteur !

Alexandre Boussageon, journaliste[1] :

« À peine installé à Bagdad, Abou Nidal trahit la centrale pales-tinienne. Alors qu'en Jordanie les troupes du roi Hussein dévastent les camps palestiniens, il ne parvient pas à obtenir de l'Irak que ce der-nier vole au secours de ses frères. Mais a-t-il seulement essayé ? Lorsque ceux-ci, vaincus, n'ont d'autre issue qu'accepter le cessez-le-feu du petit roi, Abou Nidal se contente de dénoncer de sa paisible retraite la couar-dise de leurs chefs.

En réalité, Abou Nidal est au service du régime irakien du prési-dent Bakr. S'il ne traite pas encore Arafat de "juif caché d'ascendance marocaine", il est grassement payé pour saboter une organisation pales-tinienne jugée bien trop indépendante par Bagdad. Il touche chaque mois les cent cinquante mille dollars que le régime versait auparavant au Fatah. C'est tout bénéfice pour Israël qui assiste aux premières divi-sions palestiniennes sans bourse délier.

Passeports, études à l'étranger pour les enfants de ses lieutenants, communications, camp d'entraînement, l'Irak ne refuse rien à son hôte. En 1979, c'est encore Bagdad qui règle la facture d'un hôpital suédois lorsqu'il faut soigner le terroriste victime d'une attaque cardiaque. »

La rupture avec l'Irak est progressive. Pendant longtemps encore Saddam Hussein tolère que le Fatah-Conseil révolutionnaire conti-nue d'entraîner ses hommes dans son pays. Mais peu à peu les relations se distendent. Jusqu'au jour où Abou Nidal et ses militants sont pro-prement expulsés.

Désormais en froid avec Saddam Hussein, Abou Nidal se tourne vers la Syrie qu'il n'a pourtant pas ménagée. Le président Hafez el-Assad a besoin de lui. Principalement parce que la Syrie veut se débarrasser de ses opposants, essentiellement les Frères musulmans. Or, Abou Nidal a fait la preuve en Irak, lors de la liquidation des communistes, qu'il excellait dans ce genre de sale besogne. D'autre part, le président Assad

---

1. *L'Événement du Jeudi*, 1992.

a des visées sur le Liban[1] où l'OLP, durablement installée pourrait représenter un obstacle aux ambitions syriennes.

Abou Nidal a aussi ajouté une corde à son arc : le chantage ! Le terroriste aime beaucoup l'argent. Il va donc aller le chercher dans la poche de ceux qui en possèdent énormément : les émirs du Golfe. Son discours est très efficace, c'est simple. Ou vous contribuez au financement de mon organisation, ou je vous attaque ! Et, pour bien se faire comprendre, Abou Nidal leur envoie des signaux très forts, comme on dit aujourd'hui. En 1983, un consul des Émirats arabes unis est assassiné à Bombay. Puis c'est un diplomate koweïtien qui est tué à Madrid.

Toutefois, aux yeux du terroriste, les sommes qu'il reçoit ne sont pas encore suffisantes. Aussi récidive-t-il un an plus tard en frappant encore plus fort : un avion de la Gulf Air explose en vol au-dessus d'Abou Dhabi. Bilan, cent cinq morts. Cette fois, les dirigeants des Émirats ne barguignent plus et versent à Abou Nidal des millions et des millions de dollars. Ils sont rejoints par les Saoudiens qui payent aussi leur écot. Un chantage au terrorisme est redoutablement efficace.

C'est en 1983 ou 1984 que le terroriste se réfugie dans les bras du président syrien. Entre-temps, il s'est plus ou moins installé en Pologne où il a fait d'excellentes affaires et où, probablement, il achète des armes et prépare des attentats en Europe.

En France, il aurait frappé à deux reprises. D'abord, rue Copernic à Paris où il s'attaque à une synagogue. Puis, deux ans plus tard, rue des Rosiers. La cible est le célèbre restaurant *Goldenberg* où on relève de nombreux morts et blessés. La responsabilité de cet attentat est attribuée à Abou Nidal car une des armes retrouvées est un pistolet-mitrailleur polonais qui équipe habituellement ses tueurs.

Pourquoi ces attentats contre des Juifs de France ?

Le premier, celui de la rue Copernic, pourrait, à l'extrême rigueur, s'expliquer par la déclaration faite à l'issue d'un sommet européen qui s'est tenu trois mois plus tôt, déclaration qui prônait l'idée de négociations entre Israël et l'OLP. À noter d'ailleurs que tout de suite après

---

1. Voir chapitre V.

cette réunion, une école juive est mitraillée à Anvers. Quant à l'attentat de la rue des Rosiers, certains spécialistes du terrorisme ont cru pouvoir affirmer qu'Abou Nidal voulait ainsi se venger de la France qui avait permis à Arafat de quitter le Liban sain et sauf. Mais là encore, ce ne sont que des conjectures : Abou Nidal, devenu mercenaire, aurait très bien pu exécuter un contrat.

À l'époque, la France était très engagée au Liban et les extrémistes chiites ne nous portaient pas dans leur cœur. Il y avait aussi le conflit financier avec l'Iran à propos d'Eurodif. En tout cas, on ne s'y serait pas pris autrement si on avait voulu exacerber la haine entre les Arabes et les Juifs.

Abou Nidal ne reste pas longtemps en Syrie. Hafez Al-Assad n'est pas aussi généreux que les Irakiens. Manifestement, le leader syrien n'a qu'une confiance limitée dans le chef terroriste.

Après la Syrie, Abou Nidal passe donc au service de la Libye où il met son organisation à la disposition du colonel Kadhafi. Cette collaboration se traduit par de nombreux attentats en Europe et au Proche-Orient et la liquidation d'opposants libyens. Abou Nidal, après le raid américain sur Tripoli, venge aussi son ami Kadhafi en faisant assassiner un journaliste anglais enlevé au Liban.

Le terroriste est alors traité avec munificence. Villas, facilités en tout genre, argent, Abou Nidal et ses hommes ne manquent de rien. Le colonel libyen ferme même les yeux quand le terroriste, qui craint toujours d'être trahi par les siens, ordonne l'exécution de dizaines de ses partisans.

Cependant, Kadhafi, de plus en plus soumis aux pressions de Washington, finit par comprendre qu'il doit lui aussi prendre ses distances avec le terroriste. Même si Abou Nidal lui a rendu d'incontestables services. À commencer par celui de prendre à son compte tous les mauvais coups.

À la fin des années 1980, Abou Nidal est alors très malade. Il est hospitalisé en Égypte, un pays qui a pourtant été l'une de ses cibles privilégiées. Ça signifie qu'on peut parfois oublier les pires griefs si on y a intérêt. Or Abou Nidal a certainement aidé les Égyptiens à lutter contre leurs éternels adversaires : les Frères musulmans.

Petit à petit, le terroriste met fin à ses sanglantes activités. Assis sur un véritable matelas d'or, il ne peut guère en profiter tant nombre de services secrets veulent sa peau. C'est sans doute pourquoi, en désespoir de cause, il trouve asile chez Saddam Hussein où il pensait, à tort, être à l'abri jusqu'à la fin de ses jours.

Si on fait le bilan des actions sanglantes d'Abou Nidal, on est effaré par le nombre de dirigeants palestiniens qu'il a fait abattre. Tous des proches de Yasser Arafat et souvent des hommes de grande valeur qui auraient pu jouer un rôle éminent dans le processus de paix. C'est très troublant !

On ne peut s'empêcher de se poser la question de la complicité objective qui aurait pu exister entre Abou Nidal et Israël. Bien sûr, le terroriste a fait tuer de nombreux Juifs. Et même organiser des attentats contre El Al à Rome et à Vienne.

Toutefois ce Palestinien, censé lutter pour la libération de son pays, a très peu agi en faveur de cette cause. En réalité la plupart des dizaines d'attentats qu'il a commandités n'ont pas été des attentats « palestiniens » ! Alors quand on pense à la vieille formule : « à qui profite le crime ? » il faut bien reconnaître que le principal bénéficiaire des actions d'Abou Nidal a été Israël.

L'hypothèse est-elle monstrueuse ?

Un fait semble pourtant l'accréditer. Au début de 1982, les Israéliens, alliés des chrétiens libanais, n'attendent qu'une occasion pour envahir le Liban et débarrasser le pays de ses Palestiniens.

Une occasion ou un prétexte ?

Déjà, à plusieurs reprises, le gouvernement a dû réfréner les ardeurs du ministre de la Défense, Ariel Sharon, qui veut en découdre au plus vite. Or, ce prétexte, Abou Nidal le fournit très opportunément au va-t-en-guerre israélien. En juin 1982, ses tueurs tirent sur l'ambassadeur d'Israël à Londres. Le diplomate survivra à cet attentat. Mais là n'est pas l'essentiel. Dès le lendemain, l'aviation israélienne bombarde Beyrouth. Et le surlendemain, Tsahal franchit la frontière libanaise et attaque.

Le journaliste américain, Patrick Seale, dans son livre, *Abou Nidal, une arme à louer !* a lui aussi esquissé cette thèse.

Peut-on penser pour autant que l'État hébreu a loué les services du terroriste ? Plusieurs spécialistes du Proche-Orient ont simplement observé que les services secrets israéliens ne se sont jamais attaqués aux hommes d'Abou Nidal.

II

Les mystères du GIA

Quarante ans ont passé depuis la fin du conflit. Et pourtant, la France ne cesse d'être concernée par ce qui se passe en Algérie. Comme si, malgré l'indépendance, les Algériens n'avaient jamais coupé le lien avec l'ancien colonisateur. La France repoussoir, la France toujours soupçonnée de se mêler des affaires algériennes, la France où l'on exporte sa violence. Mais la France qui demeure le premier partenaire économique de l'Algérie et vers qui l'on regarde en permanence. Liens culturels, affectifs : curieuse relation d'amour-haine.

Dès l'indépendance, en 1962, les Algériens sont déchirés. Pour simplifier, il y a ceux qui veulent privilégier l'héritage de la France, c'est-à-dire la modernité, la laïcité, le bilinguisme par exemple. La population est en effet largement francophone et parle un arabe dialectal, très éloigné de l'arabe classique. De l'autre côté, surtout à une époque où il est difficile d'afficher sa francophilie, il existe une tendance à l'arabisation : la nouvelle Algérie doit trouver son salut dans l'islam et un ancrage au sein du monde arabe.

Cette déchirure latente est encore exacerbée par la montée progressive de l'islamisme. Les jeunes Algériens, dont beaucoup sont au chômage, se disent volontiers islamistes et anti-occidentaux. Même si la plupart rêvent de venir travailler et s'installer en France, et regardent, aujourd'hui, la télévision française grâce aux paraboles.

Cela explique en partie les relations difficiles entre notre pays et l'Algérie. Quoi qu'ils en disent, les Algériens restent obsédés par la France et sont tentés en permanence de nous impliquer dans leurs difficultés. Soit en nous reprochant d'intervenir dans leurs affaires, soit en nous accusant de ne pas le faire.

C'est d'autant plus compliqué que la politique française a souvent été fluctuante. Mais il est clair que la France ne peut pas se désintéresser de l'Algérie. À cause des intérêts économiques qui nous lient, pétrole et gaz, mais surtout à cause de tous les enfants d'Algérie qui vivent chez nous.

L'Algérie n'a jamais connu de réelle démocratie. Après le bref règne de Ben Bella, Boumediene prend le pouvoir à la faveur d'un putsch. Le pays se rapproche de plus en plus du bloc de l'Est. On assiste alors à une véritable soviétisation de la société mais aussi de l'économie.

Collectiviste, l'Algérie reproduit fidèlement toutes les erreurs commises en URSS et dans ses autres États satellites. La révolution agraire est une véritable catastrophe. L'industrialisation aussi. Mais le pétrole rapporte des milliards de dollars. Cela permet de satisfaire les besoins les plus criants de la population. Certains experts estiment même que l'Algérie est alors un pays du tiers-monde qui s'en sort plutôt bien.

Sur le plan politique, même si subsiste une très relative liberté de la presse, le régime issu du parti unique, le FLN, est dictatorial. Il arabise à tout-va et favorise la montée de l'islam au nom des valeurs nationalistes tandis que la puissante sécurité militaire met le pays en coupe réglée. Les différents clans de l'armée se sont taillés de véritables fiefs et l'argent coule à flots. Comme le gouvernement a le monopole des importations, les généraux touchent de confortables commissions sur tous les contrats à l'exportation comme à l'importation. Il y a le général du médicament, celui de la bière, celui du blé ou encore du sucre. Une corruption qui s'accroît encore après la mort de Boumediene et son remplacement par Chadli.

Cette situation creuse un écart grandissant entre les puissants du régime et une population qui s'appauvrit. L'explosion démographique et l'échec de la politique agricole poussent de plus en plus d'Algériens vers les villes où, la plupart du temps, ils échouent à trouver du travail. S'y ajoute au milieu des années 1980 la baisse du prix du pétrole.

Le pouvoir algérien doit alors faire face à de nombreuses émeutes. En Kabylie, bien sûr où l'on réclame la reconnaissance de la spécificité berbère, mais aussi dans plusieurs villes, à l'Université et dans la Casbah d'Alger où les habitants réclament des logements décents.

Les islamistes profitent de ce mécontentement populaire. Les généraux, en favorisant l'islamisation de la société algérienne, ont joué avec le feu. En 1988, date clé de l'histoire algérienne, le FIS, Front islamique du salut, encore clandestin, est instrumentalisé par l'un des clans de l'armée, celui des « enfants de troupe ». On appelle ainsi ironiquement ces officiers qui, dès leur plus jeune âge, se sont engagés dans l'armée française, y ont fait la plus grande partie de leur carrière et n'ont rejoint que tardivement les partisans de l'indépendance. Ralliés de la dernière heure, malgré leur passé peu glorieux, ils ont quand même réussi à se hisser dans les premiers cercles du gouvernement. Mais ils en veulent encore plus !

Au mois de septembre, le président Chadli revient à Alger. Malgré la crise économique, malgré les pénuries que subit la population, le « roi fainéant », ainsi qu'on le nomme, s'est octroyé trois mois de vacances. À sa décharge, il faut dire que ce général ne voulait pas être président. La clique des généraux lui a forcé la main. Des officiers qui pensaient non sans raison que Chadli les laisserait agir à leur guise et continuer à s'enrichir.

Cependant, à peine rentré à Alger, le président algérien prononce un discours stupéfiant devant une assemblée de responsables politiques et de hauts fonctionnaires. Dénonçant les malheurs de ses compatriotes, Chadli accuse l'incurie du gouvernement qu'il a pourtant nommé et le parti unique dont il est le secrétaire général ! En conclusion de ce discours relayé par la télévision, le président reproche au peuple sa passivité et l'encourage à agir. Un véritable appel à la rébellion.

Il est évident que le roi fainéant Chadli, marionnette aux mains des militaires, n'a pas pris cette initiative tout seul. Il a été conseillé. Peut-être même lui a-t-on écrit son discours. Cela signifie que dans son entourage quelqu'un ou quelques-uns ont décidé de mettre le feu aux poudres ! Un clan a décidé de se débarrasser de l'autre. Y compris en mettant l'Algérie à feu et à sang.

En tout cas, Chadli est écouté. Des grèves éclatent. Le mécontentement s'accroît. Les pénuries alimentaires deviennent de plus en plus fréquentes alors même qu'il existe des stocks. Ces pénuries sont donc systématiquement organisées.

Le 5 octobre, de jeunes Algérois descendent dans la rue. Curieusement, dans ce pays où les forces de l'ordre sont mobilisées en nombre à l'annonce de la moindre manifestation, on ne voit aucun policier dans la rue ! Alors même que le gouvernement sait depuis plusieurs jours que la population, excédée, est décidée à protester publiquement à Alger et dans plusieurs villes du pays. Cette absence de policiers n'est donc pas innocente.

La manifestation algéroise se mue très vite en émeute. Des magasins sont pillés, des commissariats attaqués, des ministres molestés. Les islamistes sont très présents. Ils ne peuvent rêver meilleure occasion pour renforcer leur influence en particulier sur les jeunes, tous ces chômeurs qu'on appelle les « hittistes[1] ».

Le soir, l'état de siège est décrété ! La répression commence. L'armée intervient. On arrête à tour de bras, on torture. Et au final, on compte presque cinq cents morts.

Cette violence extrême fait l'effet d'un véritable séisme en Algérie. En toute hâte, le président Chadli amorce une démocratisation du régime et autorise la création de partis politiques. La population semble provisoirement calmée.

À la suite de cette répression extrêmement féroce, plusieurs généraux appartenant à la vieille garde du FLN sont limogés. Ils sont remplacés par les « enfants de troupe », les anciens de l'armée française. Quant au FLN, il est discrédité. C'est le résultat auquel voulaient aboutir les auteurs de cette manipulation qui désiraient aussi se débarrasser des caciques de l'ex-parti unique.

Chadli, lui, surnage, grâce à son directeur de cabinet, le général Belkheir. Ce militaire est en effet l'un des officiers à l'origine de la manœuvre. Suivent des élections locales, les premières élections pluralistes depuis l'indépendance. Le FIS rafle la mise, en s'appuyant sur

---

1. Les « hittistes » – d'après un mot arabe – sont ces jeunes gens qui passent leur vie au pied des murs parce qu'ils n'ont pas de travail.

le mécontentement populaire. Mais beaucoup d'irrégularités ont été observées. Dans certaines communes, on a voté sous la surveillance de militants du FIS armés de barres de fer. Cependant, curieusement, les autorités ne bronchent pas et laissent faire.

En 1991, l'Algérie traverse une période très chaotique. Il y a de nombreuses grèves, des émeutes ; 1991, c'est aussi l'année de la guerre du Golfe. Les dirigeants du FIS, qui ont pourtant été largement financés par l'Arabie saoudite, prennent fait et cause pour Saddam Hussein et orchestrent de violentes manifestations contre les Occidentaux.

Les manœuvres visant à déstabiliser le pays se poursuivent. On essaie visiblement d'exacerber les tensions et de pousser les islamistes à avoir recours à la violence.

Avant l'été, le FIS déclenche une grève générale qui débouche sur une véritable insurrection civile. Le pouvoir fait arrêter les deux leaders du FIS, Abassi Madani et Ali Belhadj. Conséquence, le FIS décide de boycotter les élections législatives prévues pour la fin de l'année.

Une décision qui ne fait nullement l'affaire des comploteurs. Parce que leur plan exige que le FIS remporte les élections. En obligeant Chadli à déclarer publiquement qu'il est prêt à gouverner avec les islamistes s'ils viennent à gagner les élections, ils parviennent à faire revenir le FIS sur sa décision.

Au premier tour, les islamistes triomphent. Mais il n'y aura pas de deuxième tour. L'armée, aux ordres de ces généraux qui manœuvrent dans l'ombre depuis si longtemps, s'impose. Les généraux sont enfin seuls au pouvoir.

Pour arriver à leurs fins, il fallait que les islamistes gagnent les élections. C'était le prétexte qu'ils attendaient ! L'armée se donne le beau rôle en évitant au pays de devenir un nouvel Iran.

En Occident, à quelques exceptions près, on approuve. Car, même si on n'a guère de sympathie pour les généraux qui ont interrompu le processus électoral, on respire ! Le danger islamiste est écarté.

En France, François Mitterrand est très prudent. Il condamne l'intervention des militaires, ce qui suscite la fureur des généraux, mais dans le même temps, le président français déclare comprendre leurs motivations. En réalité, la France soutient objectivement les généraux. En refusant par exemple de réduire l'aide économique à l'Algérie.

Une sorte de coup d'État a été donc perpétré. Et tout va très vite. Chadli a joué son rôle. On n'a donc plus besoin de lui. On l'oblige à signer sa lettre de démission en le menaçant physiquement. Chadli ne peut que s'incliner.

Les généraux ont gagné mais il leur faut trouver un autre président potiche. Ces hommes qui détiennent désormais tous les leviers du pouvoir politique, militaire et économique, préfèrent demeurer dans l'ombre derrière un paravent civil qu'ils pourront manipuler et leur permettra de continuer à percevoir de substantielles commissions sur les importations de biens, les affaires immobilières et, bien entendu, le pétrole et le gaz.

Ils choisissent Mohamed Boudiaf. Un personnage emblématique qui a été l'un des pionniers du combat contre le colonialisme. Il a un avantage énorme sur les autres candidats possibles : il vit depuis de longues années à l'étranger, au Maroc exactement. Coupé de la réalité algérienne, les généraux estiment qu'il ne sera pas en mesure de s'occuper de leurs affaires et du système mafieux qu'ils ont mis en place.

Mais la nouvelle marionnette échappe rapidement à ses créateurs et, malgré la surveillance constante dont il est l'objet, il donne d'inquiétants signes d'indépendance. Pire, il dénonce publiquement la corruption, commande une enquête, fait arrêter un important trafiquant lié à un général et limoge un autre officier supérieur, membre de la clique.

Hichem Aboud[1] , officier algérien, réfugié en France :
« En une semaine, l'affaire est bouclée. Le 16 janvier 1992, Boudiaf arrive à l'aéroport d'Alger. Il se voit tendre un bout de papier sur lequel est écrit un discours dont il n'a pas la moindre idée. Un avant-goût de ce que va être son rôle entre les mains des généraux. En vieux routier de la politique, il plie le papier, le met dans sa poche et improvise un discours simple avec la spontanéité des patriotes sincères.

1. *La mafia des généraux*, Jean-Claude Lattès, 2002.

> *Pourquoi Boudiaf, puisque les décideurs voulaient un homme anal-*
> *phabète, inculte et apolitique ? Si Tayeb El-Watani — c'est son nom de*
> *guerre — ne répond à aucun de ces critères, il est cependant affligé d'un lourd*
> *handicap dont ils vont tirer grand profit : sa méconnaissance de la réalité*
> *algérienne après tant d'années d'exil. Il ignore tout de la nature du pouvoir*
> *algérien. Il ne sait pas qu'il va avoir affaire à des mafieux qui n'hésiteront*
> *pas à le liquider. Il est le premier à dénoncer la mafia politico-financière.*
> *Mais il ne sait pas qu'il vise ceux-là mêmes qui l'ont tiré de son exil pour*
> *l'installer au palais présidentiel. Un palais qu'il trouve vide. Il n'y avait pas*
> *un seul papier, pas un dossier laissé par son prédécesseur. »*

Fin juin 1992, soit à peine six mois après son retour en Algérie, Boudiaf est assassiné par un obscur sous-lieutenant de la Direction de la sécurité militaire qui a été manipulé et sera bien sûr accusé d'être un islamiste enragé.

Mais les généraux, en se servant du FIS pour arriver au pouvoir, ont ouvert la boîte de Pandore et vont déclencher un cycle infernal.

Ils ont utilisé le FIS mais, tout comme Chadli un peu plus tôt, ils n'en ont plus besoin. Cependant, ils sont bien placés pour savoir que le mouvement islamiste demeure une importante force de contestation. Par conséquent, il faut réduire sa capacité de nuisance. Très rapidement après leur putsch, ils prononcent la dissolution du parti islamiste et de très nombreux militants sont arrêtés et déportés dans le sud.

La répression est très dure. Mais ce faisant, les généraux précipitent les islamistes dans la clandestinité et la lutte armée. Ainsi se forment les premiers maquis. Une véritable guerre civile commence, qui provoquera des dizaines de milliers de morts et aura des conséquences tragiques jusque chez nous. Car la France finira par être prise en otage dans ce conflit algéro-algérien.

Même si les gouvernements successifs ne veulent pas donner l'impression de choisir entre les généraux et les islamistes, il est clair que la France se trouve clairement du côté des hommes au pouvoir, auxquels est accordée une aide économique importante et à qui Paris livre du matériel militaire.

En 1993 deux géomètres français sont assassinés en Algérie. Un peu plus tard, trois fonctionnaires du consulat sont enlevés. Un curieux rapt : on le sait aujourd'hui, ce sont les services algériens qui ont organisé ce kidnapping. Ils voulaient alors pousser le gouvernement français à agir contre les islamistes qui se trouvaient sur notre territoire. Ce qui sera fait avec la fameuse opération *Chrysanthème* ordonnée par Charles Pasqua. Une rafle dans les milieux musulmans opérée sans grand discernement.

Dans le même temps apparaît en Algérie le GIA, le Groupement islamique armé. En fait il n'existe pas un GIA unifié mais plusieurs GIA qui vont agir à leur guise.

Jusqu'en 1994, la branche armée du FIS, l'AIS, Armée islamique du salut, s'est, elle, contentée d'attaquer des objectifs militaires. Avec le GIA, il en va tout autrement. Civils, policiers, militaires sont indifféremment pris pour cibles. Le pouvoir apprécie : non seulement ces monstruosités permettent de diaboliser les islamistes, et donc de justifier la politique de répression, mais elles poussent les opinions publiques étrangères à prendre le parti des généraux. La troisième raison est encore plus machiavélique : l'existence du GIA permet de se débarrasser d'éléments gênants dont la disparition est mise au compte des terroristes islamiques.

Enfin les généraux mettent en avant leur lutte contre le terrorisme pour rester au pouvoir et mettre le pays en coupe réglée ! Au nom de la lutte contre l'intégrisme, ils apparaissent indispensables et sont donc tentés de prolonger ce conflit.

Il est quand même difficile d'expliquer comment l'armée puissamment équipée, qui dispose du matériel le plus performant (grâce à la France notamment) n'est pas encore venue à bout de ces maquisards qui peuvent descendre dans les villages et égorger impunément. Sans que les militaires, parfois casernés à proximité, n'interviennent !

Ces généraux sont donc implicitement complices des tueurs quand ils ne sont pas à l'origine même de la création de quelques GIA.

La malheureuse population algérienne est prise en étau entre une clique corrompue et des fous sanguinaires. L'existence de l'une justifiant celle de l'autre.

Il faut aussi s'étonner du fait que les commandos du GIA ne se sont pratiquement jamais attaqués aux installations pétrolières. À l'exception d'un sabotage opéré contre une entreprise française.

À Alger, on a prétendu que si l'armée ne parvenait pas à réduire les maquisards, c'est parce qu'une grande partie de ses effectifs était mobilisée justement pour assurer la sécurité de ces installations. Il est beaucoup plus probable que les hommes au pouvoir ne tenaient pas à ce que l'on touchât à leur rente pétrolière. En outre, beaucoup de ces puits de pétrole étaient alors exploités par des sociétés américaines. Or les États-Unis, au moins jusqu'au 11 septembre 2001, n'ont jamais été vraiment hostiles aux islamistes. Contrairement aux autorités françaises, le gouvernement des États-Unis a envisagé sans trouble excessif l'arrivée au pouvoir des islamistes à Alger. Mieux, un des leaders du FIS, un certain Anouar Haddam, a longtemps représenté officiellement son mouvement aux États-Unis. Ce personnage, lorsqu'il se rendra à Rome en 1995 pour participer à une réunion des principaux partis algériens, fera même le voyage dans l'avion du ministre américain de la Justice.

On peut donc imaginer que les Américains ont négocié avec les islamistes dans le seul but de protéger leurs installations pétrolières. Qu'ont reçu en retour les terroristes ? Des armes, de l'argent ? C'est possible mais pas certain.

Graham Fuller, expert de la Rand Corporation, un « think tank » proche de la CIA :

« La question n'est pas tellement de savoir si le FIS arrivera au pouvoir, mais comment il y parviendra, jusqu'à quel point il le contrôlera et avec qui il devra le partager. » [Fuller estime ensuite que l'islamisme est un corps soluble dans le nouvel ordre mondial et conclut :] *« L'islamisme ne ressemble pas au communisme : il n'a pas de direction, pas de programme central. La politique islamiste découle directement de la culture locale traditionnelle. Enfin, les mouvements islamistes présentent une diversité considérable, et le principe antidémocratique ne leur est pas inhérent. De surcroît, ils évoluent avec le temps. Enfin, les gouvernements islamistes ont toutes les chances de se multiplier au*

> *Moyen-Orient dans les années à venir, prenant de nombreuses formes différentes. Ils auront à apprendre à vivre avec l'Occident et l'Occident aura à apprendre à vivre avec eux. Cette expérience avec le FIS algérien a donc une portée considérable. »*

La montée de l'islamisme ne pouvait pas épargner trop longtemps notre pays. Très tôt, des intégristes musulmans, envoyés ou payés par l'Arabie saoudite entre autres, ont manœuvré au sein de la communauté immigrée en France. Il faut bien avouer que les autorités françaises n'ont pas toujours vu ces initiatives d'un mauvais œil : les jeunes des cités, désœuvrés, tentés par la délinquance, se calment dès lors qu'ils prennent le chemin de la mosquée. Toutefois l'arme est à double tranchant. Beaucoup de ces imams envoyés de l'étranger professent un islam extrémiste et fondamentaliste. Bref, on perd des voyous mais on gagne des talibans.

Cependant, si dans leur grande majorité les musulmans français sont hostiles à l'intégrisme, il n'en reste pas moins que certains jeunes ont été tentés et le demeurent encore. Les mouvements terroristes islamistes disposent d'une base où il leur est aisé de recruter.

D'autre part, de nombreux musulmans, surtout les jeunes, ont très mal vécu l'engagement français lors de la guerre du Golfe. Comme ils n'ont pas apprécié, non plus, l'attitude de la France vis-à-vis du pouvoir algérien après que les généraux algériens eurent annulé le premier tour des élections législatives. C'était une dictature que les socialistes français soutenaient !

Ensuite, au sein du gouvernement de la deuxième cohabitation, des voix discordantes se sont fait entendre. Si Charles Pasqua, le ministre de l'Intérieur, était résolument partisan d'aider Alger et ses généraux, Alain Juppé, le ministre des Affaires étrangères, était beaucoup plus circonspect et prenait ses distances.

Toutefois, c'est la ligne Pasqua qui va triompher. Car les autorités considèrent que l'islamisme progresse dangereusement. La France devient peu à peu une base arrière pour les militants du FIS qui mène la lutte armée contre le pouvoir algérien. Des dirigeants islamistes, réfugiés en France, se livrent à une propagande très agressive et approuvent ouvertement les actions terroristes perpétrées par le GIA en Algérie. Ils attaquent non seulement le gouvernement algérien mais, d'une façon plus générale, l'Occident laïque et impie, et en particulier la France qui soutient les généraux.

Paris réagit en interdisant des journaux de propagande. Plus inquiétant, une cache d'armes est découverte dans les locaux d'une association islamique. La police observe aussi une augmentation de la délinquance chez des immigrés fraîchement arrivés d'Algérie et soupçonne qu'il s'agit vraisemblablement de trafics destinés à financer le mouvement.

Le développement de l'islamisme sur notre territoire n'échappe pas non plus au pouvoir algérien qui presse le gouvernement français d'agir plus fermement contre ces fondamentalistes. C'est ainsi qu'il faut analyser la mascarade de l'automne 1993 et le faux enlèvement des trois diplomates français prétendument revendiqué par le GIA.

La vaste rafle qui suit est relativement infructueuse mais laisse des traces car elle apporte la preuve que les autorités françaises se rangent clairement du côté des généraux d'Alger ! La rancœur est d'autant plus forte que la rafle a aussi visé des islamistes qui ne représentaient aucun danger mais qui vont être tentés de se radicaliser.

Ces hommes, mais aussi tous ceux qui partagent leurs convictions religieuses, pensent non sans raison qu'ils sont victimes d'une répression aveugle et injuste. Après tout, ne soutiennent-ils pas un mouvement, le FIS, qui a légitimement remporté des élections démocratiques ?

Toutefois, ce que la police soupçonnait semble se confirmer : il existerait bien des équipes prêtes à se livrer à des actions violentes. Des groupes qui seraient en liaison avec les maquisards algériens, qu'ils appartiennent au FIS ou à ce mystérieux GIA qui vient tout juste d'émerger. Les opérations de police qui suivront en apportent la preuve.

Cette affaire commence de façon très curieuse : un jour, un policier perspicace s'étonne de voir un truand notoire, Mohamed Chalabi, fréquenter assidûment une mosquée de la banlieue parisienne. Cet ancien trafiquant de drogue devient même imam et prêche régulièrement en préconisant le jihad.

Il crée aussi plusieurs associations chargées d'éduquer et de convertir les jeunes. Cette curieuse reconversion intrigue. Chalabi et ses trois frères sont filés, écoutés. Bientôt, la police acquiert la conviction que les associations créées par Chalabi dissimulent en réalité un réseau de soutien logistique au GIA.

Encore une fois, Pasqua emporte la conviction du Premier ministre. Édouard Balladur tranche. En novembre 1994, il décide d'organiser une nouvelle rafle.

En novembre, les forces de l'ordre passent à l'action. Une petite centaine de personnes sont arrêtées. Cette fois la pêche est fructueuse. On découvre un véritable arsenal, armes de guerre, munitions, produits chimiques et systèmes de transmission sophistiqués. Et parmi les hommes arrêtés, plus de soixante-dix sont mis en examen pour association de malfaiteurs en vue de préparer des actions terroristes.

À l'évidence, le terrorisme islamique a implanté un véritable réseau en France. Mais une question se pose : les membres de ce réseau servent-ils seulement de base arrière aux terroristes algériens ou envisagent-ils de passer à l'action sur le territoire français ?

Même si les policiers ne le disent pas ouvertement, ils penchent pour la deuxième hypothèse : les frères Chalabi s'apprêtaient à passer à l'action en France. Afin de punir un gouvernement qui soutient les généraux algériens.

Ali Laïdi[1] :

« *Mohamed Chalabi, dit Momo, l'aîné des frères, ne correspond plus complètement au portrait figurant dans son casier judiciaire. Il n'est plus ce truand "à la belle gueule" tombé pour la première fois à 20 ans pour trafic de drogue. Il semble loin aussi le temps où il fréquentait les prisons pour vols avec violence. Un séjour en prison où il côtoie des islamistes lui ouvre les yeux. Il retourne alors vivre deux ans à Alger, dans le quartier de Leveilley. A-t-il rencontré à l'époque Mohamed Allal, dit Moh Leveilley (baptisé ainsi en référence à son quartier d'origine), lui-même ancien truand, considéré comme le premier émir des GIA ? C'est possible. En tout cas, lorsqu'il rentre en France, le truand troque* »

---

1. *Le Jihad en Europe – Les filières du terrorisme islamiste*, le Seuil, 2002.

ses habits de gigolo irascible pour une tenue plus modeste et conforme à son engagement spirituel. Fini la drague et la drogue, place aux prières et au combat pour l'établissement de l'islam en Algérie. Il s'improvise même imam à la mosquée de Choisy-le-Roi. Ses koutba (prêches) se moquent de la spiritualité et de l'exégèse coranique. Cet imam inculte prône le jihad en Algérie et invite des fidèles apeurés à soutenir leurs frères algériens. Les Chalabi iront même porter la bonne parole en djellaba aux meetings de la FAF, la Fraternité algérienne en France. Il faut se montrer pour que tout le monde sache que les Chalabi ne dealent plus, ne volent plus, ne violent plus. »

La réponse des islamistes ne tarde pas !

Un mois et demi après le démantèlement du réseau Chalabi, un commando du GIA prend en otage les passagers d'un Airbus d'Air France qui allait décoller d'Alger. Quatre terroristes s'emparent de l'avion.

Les preneurs d'otages menacent d'égorger tous les passagers et de faire sauter l'avion sur le tarmac de l'aéroport si leurs revendications ne sont pas satisfaites : ils exigent de la France qu'elle cesse de soutenir inconditionnellement le pouvoir algérien et la libération de plusieurs prisonniers islamistes en Algérie dont les chefs du FIS. Une demande qui ne dépend pas de Paris !

Des négociations difficiles s'engagent entre les autorités algériennes et les terroristes. Trois passagers sont égorgés et quelques dizaines d'autres sont libérés. Naturellement, s'agissant d'un avion de la compagnie nationale, la France veut avoir son mot à dire. Alger renâcle. C'est une question de souveraineté nationale. Mais l'appareil et de nombreux passagers sont français. En outre, Paris a la conviction qu'Alger ment et ne communique pas toutes les informations dont elle dispose. Il faut menacer les Algériens de rompre les relations diplomatiques pour qu'ils acceptent de laisser décoller l'avion. Avec tout juste assez de kérosène pour rejoindre Marseille.

Les autorités craignent une opération semblable à celle qui se produira le 11 septembre 2001 à New York. On dit même que les terroristes auraient l'intention d'écraser l'avion sur la tour Eiffel.

L'Airbus se pose donc à Marseille. Mais un commando du GIGN parvient à pénétrer dans l'avion et à tuer les quatre terroristes.

La réplique du GIA est immédiate. Dès le lendemain, quatre pères blancs résidant en Algérie, dont trois Français, sont assassinés. L'émir du GIA est alors Jamel Zitouni, l'homme qui porte la responsabilité de l'assassinat des sept moines de Tibhirine[1] et qui est vraisemblablement manipulé par les services algériens.

Il est clair que tôt ou tard, les islamistes frapperont en France. Le FIS, qui n'était pourtant pas partie prenante dans l'affaire de l'Airbus, publie un communiqué menaçant notre pays de représailles. Une véritable course de vitesse s'engage entre les terroristes qui tentent de reconstituer leurs réseaux démantelés et la police française. Et pas seulement la police française d'ailleurs : on s'aperçoit bientôt que c'est une vraie organisation européenne qui se constitue, peut-être sous la tutelle d'un groupe dont on parle à peine : Al-Qaïda !

La France est particulièrement visée. Non seulement parce qu'elle soutient les gouvernements anti-islamistes des pays du Maghreb mais aussi parce que la vaste communauté immigrée est un réservoir de militants. C'est ainsi qu'on verra de jeunes beurs partir en Afghanistan ou au Pakistan où ils subiront une formation à la fois idéologique et militaire.

La première offensive de la police a lieu en Belgique. Un réseau est identifié et anéanti. Des armes, des explosifs, des faux papiers sont découverts. Mais aussi les photos de deux hommes dont on va beaucoup reparler : un certain Ali Touchent et un autre nommé Boualem Bensaïd.

Un peu plus tard, au tout début de l'été 1995, un deuxième réseau comprenant plusieurs dizaines de membres sur l'ensemble du territoire français est démantelé par la police. Cependant le chef, un nommé Kerrouche, parvient à s'enfuir et gagne l'Angleterre où existe un important centre de propagande islamiste. Là-bas, il rejoint certainement Rachid Ramda, financier présumé des futurs poseurs de bombes de 1995.

Malgré ces succès, police et services secrets, grâce à des informations concordantes, s'attendent à ce que de nouveaux commandos soient

---

1. Voir chapitre III.

envoyés en France. D'autre part, il résulte des enquêtes effectuées par les Renseignements généraux ou la DST – Direction de la surveillance du territoire français –, que des réseaux existent toujours et que les islamistes sont bien implantés dans les banlieues. Ils en ont la preuve dès le mois de juillet avec l'assassinat du cheikh Sahraoui à Paris.

Ce vieil homme est l'un des fondateurs du FIS. Après le putsch des généraux, il a trouvé refuge en France. Mais, tout en étant partisan d'un régime islamiste en Algérie, il a condamné la violence avec la plus grande fermeté et il est devenu *ipso facto* un traître pour les durs du GIA. D'autant qu'il entretient peut-être des relations avec la police française.

Il a d'abord reçu des menaces et il lui a été intimé l'ordre de ne plus prêcher. Le vieil homme a refusé de tenir compte de ces avertissements et a même refusé la protection de la police. Sans doute pense-t-il alors que sa qualité d'imam et de fondateur du FIS le protège.

Il a tort. Deux tueurs n'hésitent pas à l'abattre à l'intérieur même de sa mosquée. Au passage, ils abattent un autre homme qui tente de s'interposer.

Les deux meurtriers s'enfuient. Mais dans leur course, l'un d'eux abandonne un sac. Le fait est très étrange : à l'intérieur, les enquêteurs découvrent tout un matériel destiné à fabriquer une bombe artisanale. Autant d'ingrédients qui n'étaient nullement nécessaires à leur mission et pouvaient même les embarrasser dans leur fuite. Alors était-ce une sorte de message adressé à la police et qui annonçait les futurs attentats ?

Quoi qu'il en soit, ce double assassinat et le contenu du sac prouvent que les réseaux du GIA sont toujours bien vivants et sont prêts à frapper.

La première bombe éclate deux semaines seulement après l'assassinat du cheikh Sahraoui dans le RER parisien, à la gare Saint-Michel. Un massacre : huit personnes ont perdu la vie et des dizaines d'autres sont blessées. Ensuite, une autre bombe est déposée près de la place de l'Étoile et des colis piégés explosent sur un marché, boulevard Richard Lenoir à Paris. Une école juive est visée à Lyon, puis, à nouveau à Paris, les stations de métro Maison-Blanche et Quai-d'Orsay.

Mais c'est la tentative ratée perpétrée sur la ligne TGV Paris-Lyon qui permet à la police d'avancer. Les enquêteurs trouvent miraculeusement une empreinte digitale sur un adhésif qui entoure le dispositif meurtrier. Cette trace a été laissée par un jeune délinquant d'origine algérienne, Khaled Kelkal, déjà connu des services de police.

Sans vouloir amoindrir les mérites de la police, il est à peu près certain que les enquêteurs ont bénéficié de tuyaux en provenance directe d'Alger ! La DST continuait en effet à entretenir d'excellentes relations avec les services algériens.

> **Hubert Coudurier[1] , historien :**
>
> « *"Jean-Louis Debré avait la hantise qu'on lui trouve rapidement un coupable pour calmer les esprits et rassurer les Français ; puis que l'on découvre que c'était une fausse direction. La sécurité militaire algérienne voulant que l'on parte sur des pistes pour éliminer des gens qui la gênent !"*, écrit *Dominique Gerbaud dans* La République du Centre-Ouest, *citant le propos du ministre de l'Intérieur. L'information, reprise par* Le Monde, *provoque un tollé à Alger. Debré affirme ne pas avoir tenu de tels propos et accuse la presse d'avoir enfreint le "off". Gerbaud maintient sa version et explique qu'il y avait eu un accord préalable pour reprendre ces propos de déjeuner. Le ministre de l'Intérieur est-il pour autant furieux de s'être laissé piéger ? Pas du tout. "C'était une manière de leur faire passer un message pour qu'ils arrêtent de nous bourrer le mou", avoue-t-il après coup. Au-delà de cette polémique, l'explosion du RER est-elle un coup tordu d'une faction de l'armée ou un attentat islamiste ? Le doute existe dès le départ. Mais il importe d'abord de dévider la pelote pour retrouver les auteurs et calmer l'opinion publique.*
>
> *Le 31 juillet, les services algériens confirment à leurs homologues français que deux groupes du GIA sont présents sur le territoire national. Des commandos suicides contre la tour Eiffel ou l'Arc de Triomphe pourraient être lancés, affirment les Algériens. Les Français pataugent, s'accrochent à des rumeurs et restent dans le brouillard.* »

---

1. *Le monde selon Chirac, les coulisses de la diplomatie française*, Calmann-Lévy, 1998.

En tout cas, tuyaux ou pas des services algériens, la police progresse très vite tandis que Jamel Zitouni, l'émir du GIA, assume la responsabilité des attentats. Dans l'un de ses communiqués, il annonce de nouvelles actions et enjoint au président Chirac de se convertir à l'islam !

Mais qui est le jeune Kelkal ? Son évolution est exemplaire.

Il est né en Algérie mais il n'a qu'un mois quand sa famille se fixe à Vaulx-en-Velin, dans la banlieue lyonnaise. C'est un garçon plutôt tranquille et qui, contrairement à beaucoup d'autres jeunes de ces quartiers difficiles, fait des études secondaires correctes.

Au début des années 1990, de violents incidents éclatent à Vaulx-en-Velin. De vraies émeutes qui opposent les beurs aux forces de l'ordre.

À tort ou à raison, Kelkal est accusé d'avoir pillé un magasin. Il est arrêté et condamné. Quand il ressort de prison, ce n'est plus le même homme. Il porte la barbe, professe des idées fondamentalistes et rompt pratiquement avec sa famille. Puis il part en Algérie où il rejoint les rangs du FIS. Dès cette époque, il est repéré par la sécurité militaire algérienne.

De retour en France à une date indéterminée, il devient l'un des hommes de main d'un réseau du GIA implanté dans la région lyonnaise. L'expertise de l'arme qu'on retrouvera dans son sac autorise même la police à l'impliquer dans l'assassinat de l'imam Sahroui.

Identifié, Kelkal fait l'objet d'une intense chasse à l'homme et il finit par être abattu par les gendarmes dans les monts du Forez. L'analyse des documents qu'il porte sur lui permet à la police de remonter la piste des autres membres du réseau et de prévenir d'autres attentats. Boualem Bensaïd et Ali Belkacem, deux des dirigeants de ce réseau du GIA en France, sont arrêtés à l'automne 1995. Mais un homme échappe à la police, un nommé Ali Touchent qui se fait aussi appeler Tarek. Véritable chef du réseau, il était en contact direct avec les commanditaires des attentats. Les vrais commanditaires.

Ici apparaissent les premières zones d'ombre. Tarek est loin d'être un inconnu pour la police française. En 1989, cet étudiant en architecture a déjà suscité la curiosité de la DST car il a créé à Paris une section du FIS. Après un séjour dans son pays au moment des élections législatives, il revient en France où il ne cesse de voyager sous les identités les plus diverses.

En 1993, lorsque Pasqua déclenche la première rafle dans les milieux islamistes, Touchent échappe miraculeusement à l'arrestation. Une autre fois encore, la même année, alors qu'il s'est caché dans un foyer d'immigrés, il parvient à disparaître. Ensuite, on le signale dans plusieurs pays européens où il est soupçonné de se livrer à des trafics d'armes en faveur des maquis islamistes.

Il réussit à nouveau à fuir à temps lorsque la police belge s'attaque à un réseau du GIA en mars 1995. Toutefois, la DST le suit à la trace. Mais l'homme est insaisissable. Et quand la police démantèle le réseau des poseurs de bombes de 1995, Touchent s'échappe encore une fois.

La première explication qui vient à l'esprit est que ce Touchent aurait pu être une taupe de nos services. Et qu'à chaque fois il aurait été alerté à temps. Mais la DST a nié avec la dernière énergie. Une dénégation qui n'est pas probante : si ce Touchent avait réellement été une taupe, notre contre-espionnage aurait pareillement démenti.

Plus sérieusement, si ce Touchent avait été un type manipulé par nos services, ceux-ci n'auraient pas laissé le GIA commettre des attentats aussi meurtriers sur le sol national.

La suite permet de mieux comprendre. En 1996, Touchent se trouve en Grande-Bretagne. Puis il disparaît. On le retrouve à Alger où, pourtant, il est, en principe, activement recherché. Il habite alors dans une cité où sont logés les CNS, l'équivalent de nos CRS. Un an plus tard, il décède de mort violente dans l'un des endroits les plus surveillés d'Alger, près de l'hôtel *El Djezaïr*. Mais il faudra attendre plusieurs mois pour que les autorités algériennes identifient formellement son cadavre et communiquent ses empreintes digitales aux enquêteurs français.

Touchent était donc en réalité un agent des services algériens. Devenu embarrassant, il a été abattu parce qu'il en savait trop.

Comme la DST était dans les meilleurs termes avec la DRS, l'ancienne sécurité militaire algérienne, les policiers de ce service étaient donc bien placés pour prévenir Touchent des menaces qui pesaient sur leur taupe. En fait, grâce à ce personnage, la DRS manipulait les hommes du GIA en France. Le propre frère de Touchent a fini par reconnaître que ce dernier était un agent double.

En manœuvrant les poseurs de bombes, les services algériens voulaient montrer que la menace du terrorisme islamiste n'était pas vaine et qu'elle impliquait la France dans la guerre qu'ils menaient eux-mêmes chez eux. Ainsi ils justifiaient tous les coups tordus auxquels ils se livraient dans leur propre pays, cette sale guerre qui leur permettait de rester au pouvoir.

Y a-t-il des preuves ? Dans ce genre d'affaires, on en trouve rarement. Même s'il existe de fortes suspicions de double jeu pour plusieurs personnages membres du GIA, comme ce sinistre Zitouni ou ce Touchent dont nous venons de parler.

Une indication toutefois : les premiers militants islamistes algériens ont généralement été des « Afghans », comme on les a appelés. C'est-à-dire des Algériens qui sont allés combattre en Afghanistan contre les Soviétiques. À leur retour en Algérie, ces individus ont joui d'une formidable popularité. C'est en partie grâce à eux que les dirigeants du FIS ont pu recruter si facilement chez les jeunes.

Mais ces nouveaux convertis ne savaient pas que certains de ces « Afghans » étaient des agents doubles. Dans les années 1980, lorsque les Saoudiens, les Américains et l'organisation de Ben Laden ont massivement recruté des moudjahidin pour lutter contre le régime afghan soutenu par les Soviétiques, l'Algérie était au mieux avec ces derniers qui lui fournissaient des armes et des conseillers de tout poil. Moscou a donc légitimement demandé aux Algériens d'infiltrer quelques-uns de leurs agents parmi ces combattants qui allaient se battre au nom d'Allah.

À leur retour, ces hommes sont demeurés des agents au service des Algériens et le sont restés quand ils ont été sollicités par les islamistes du FIS puis du GIA. Cela signifie que les services algériens ont toujours été informés des actions de la branche armée du FIS ou du GIA. Et qu'ils ont pu manipuler les terroristes comme ils l'entendaient !

Ali Laïdi[1] :

« *Cette incroyable capacité qu'a Touchent d'échapper aux coups de filet laisse pantois. Forcément, on s'interroge et on élabore les pires scénarios : Touchent est-il une taupe des services algériens chargée d'embraser la France pour déclencher la répression des autorités contre les réseaux de soutien aux islamistes algériens ? Touchent bénéficie-t-il du soutien de certains clans au pouvoir en Algérie ? Des preuves ? Elles sont maigres. Tout juste un numéro de téléphone relevé sur un carnet d'adresses lui appartenant, suivi des initiales DS, qui pourraient bien correspondre aux coordonnées des services de sécurité algériens. Il est probable qu'on n'en saura jamais plus.* »

---

1. *Ibid.*

III

Sept morts pour l'exemple

Sept têtes coupées au bord d'une route. Sept têtes de moines. Sept têtes : tout ce qui restait des trappistes du monastère de Tibhirine. À tel point qu'au jour des obsèques les autorités algériennes ont lesté les cercueils de terre afin de faire croire que les dépouilles des moines étaient entières.

Cette douloureuse affaire a frappé l'opinion, tant française qu'algérienne. C'était hier, en 1996. Les sept moines avaient été enlevés deux mois plus tôt. Dans une Algérie torturée par une guerre civile qui avait déjà fait des dizaines de milliers de morts, le martyre de ces hommes de Dieu a semblé être un point d'orgue. Si même des moines, enracinés depuis longtemps dans ce pays, proches d'une population qu'ils soignaient et secouraient, respectés et protégés par les islamistes, étaient frappés, plus personne n'était à l'abri. Tout pouvait arriver.

Le GIA, Groupe islamique armé, a revendiqué la paternité de ces assassinats. Mais ce n'est pas aussi simple qu'il y paraît. À commencer du côté français par la grande confusion qui a régné au sein des services français de renseignement, l'absence de coordination au niveau ministériel et l'intervention d'hommes de l'ombre.

L'endroit est magnifique. Situé dans l'Atlas, à une centaine de kilomètres d'Alger, le monastère, havre de paix, est juché sur une haute colline d'où l'on domine la plaine de la Mitidja.

Les quelques moines trappistes qui ont décidé de s'y retirer vivent en parfaite osmose avec la population. Leurs contacts avec les villageois sont permanents. Ils les soignent, les aident, cultivent avec eux les terres du monastère. Le prieur, Christian de Chergé, a même mis à leur disposition une pièce qui leur sert de salle de prière, le temps qu'ils construisent une mosquée au village.

La montée de l'islamisme tarde même à compromettre cette harmonie. Pourtant, dans la ville voisine, Médéa, les tueries sont presque quotidiennes. Mais les moines se gardent bien de prendre parti. Tous sont les bienvenus à Tibhirine. L'on y soigne aussi bien les maquisards du GIA que les soldats de l'armée.

Cependant, fin 1993, il y a une première alerte : treize Croates, qui travaillent sur le chantier d'un tunnel, près du couvent, sont assassinés par le GIA qui a lancé un ultimatum : tous les étrangers doivent quitter l'Algérie. S'ils restent, ce sera au péril de leur vie.

Les moines français sont donc aussi concernés. Les frères se concertent : doivent-ils partir ? Ils votent. Le non l'emporte : ils resteront.

Quinze jours après le massacre des Croates, la nuit de Noël, une petite troupe essaie de s'introduire dans le monastère. Le chef est un certain Attiya. Émir des bandes armées de la région, c'est lui qui a ordonné l'assassinat des Croates.

Les moines ont donc tout à craindre et ne sont guère rassurés. Mais le prieur fait face. Il discute pied à pied avec Attiya pendant une partie de la nuit. L'émir demande de l'argent et des médicaments. Sous la menace de leurs armes, les islamistes exigent aussi que le frère Luc, médecin, vienne soigner leurs blessés. Le prieur, tout en demeurant extrêmement calme, oppose un refus absolu. Il argue que le frère Luc, vieux et malade, n'est pas en état de courir la montagne. En revanche, si des blessés se présentent au monastère, il les soignera. Quant à l'argent, c'est bien simple, les moines n'en ont pas. Ils vivent dans une extrême pauvreté.

Impressionné par la sérénité du prieur qui lui rappelle que c'est la nuit de Noël et que le Coran respecte le Christ, Attiya, contre toute attente, accepte de retirer ses hommes et donne l'*aman*[1] au prieur.

Au soir de cette nuit d'angoisse, les moines se sont à nouveau réunis et ont évalué avec lucidité la situation. Une nouvelle fois, ils choisissent

---

1. Promesse de paix. C'est un engagement solennel pour les musulmans.

de rester, essentiellement parce qu'ils ne veulent pas abandonner la population locale à laquelle ils rendent tant de services. Les villageois leur demandent d'ailleurs de demeurer près d'eux : ils ont l'impression que la présence des moines les protège eux aussi.

Les trappistes prennent quand même un certain nombre de précautions et limitent leurs sorties à l'extérieur du monastère.

Deux mois plus tard, Attiya est tué dans un engagement avec une faction rivale. Toutefois, son successeur, Ali Benhadjar, renouvelle l'*aman*. Les moines vivent ainsi plus de deux années de paix relative.

Dans le pays, la violence redouble. L'armée et les islamistes se livrent une guerre sans merci. Des religieux catholiques, hommes et femmes, sont assassinés. Le chef d'un autre GIA, un nommé Jamel Zitouni, menace les moines et exige à nouveau leur départ. Il existe en effet des groupes rivaux qui n'hésitent pas à s'affronter les armes à la main. En principe, leurs querelles sont idéologiques. Mais en réalité, ces gangs se battent pour le pouvoir et la rapine.

La bande de Zitouni se range parmi les plus extrémistes. À force d'éliminations successives, ce chef de bande finit d'ailleurs par s'attribuer le titre d'émir du GIA.

En mars 1996, à la fin du mois et en pleine nuit, un commando du GIA investit le monastère de Tibhirine. Cette fois-ci, il n'est plus question de discuter : sept moines sont enlevés. Deux autres ont heureusement le temps de se dissimuler. L'alerte est rapidement donnée. Et, comme les moines ne réapparaissent pas, l'armée boucle toute la région et entame des recherches.

Dans ce territoire montagneux, les caches ne manquent pas. Plus étonnant, personne n'a rien vu ! Or, les villages sont nombreux dans cette région. À la campagne, tout se voit, tout se sait. Le cortège des ravisseurs et des sept moines – certains d'entre eux, âgés, marchant avec difficulté – n'a donc pas pu passer inaperçu. D'autant que des mules devaient les accompagner !

Par peur des représailles, la population, terrorisée par les maquisards du GIA, se tait. Car, pour tous, il ne fait nul doute que ce sont des islamistes qui ont fait le coup.

Une longue attente commence.

À Paris, l'émotion est intense. Le gouvernement d'Édouard Balladur fait pression sur les Algériens pour qu'ils intensifient leurs recherches. Apparemment, on fait donc confiance à Alger. Mais en coulisses, il en va tout autrement. La France a de bonnes raisons d'être suspicieuse : en octobre 1993, trois fonctionnaires du consulat français à Alger sont enlevés. Un enlèvement revendiqué rapidement par le GIA qui réclame, pour leur libération, l'élargissement de Layada, un fondamentaliste musulman emprisonné en Algérie et considéré justement comme le père fondateur du GIA. Aussitôt, le gouvernement français envoie des émissaires à Alger pour s'informer de la situation et prendre contact avec les autorités algériennes.

La suite est tout à fait extraordinaire.

Ces émissaires français rencontrent en particulier des membres de la DRS, la Direction du renseignement et de la sécurité, l'organisme qui a succédé à la redoutable et très efficace Sûreté militaire. Et là, tout de go, on leur dit de ne pas s'inquiéter car les trois fonctionnaires seront bientôt libérés.

La DRS dispose de tuyaux d'autant plus sûrs que c'est elle qui a fait enlever ces trois Français ! Bien sûr les aveux ne sont pas aussi directs. Le jeu est plus subtil. Mais c'est pourtant la vérité.

Les émissaires français comprennent assez rapidement : les Algériens veulent obtenir du gouvernement français, et surtout de Charles Pasqua, ministre de l'Intérieur, qu'il engage une lutte résolue contre les islamistes qui se trouvent sur notre sol !

C'est un chantage !

Quoi qu'il en soit, le message est aussitôt transmis à Paris. Pasqua accepte le marché. À Alger, les trois fonctionnaires sont libérés. Quelques jours plus tard, la police française donne un grand coup de balai dans la fourmilière islamiste. C'est l'opération « Chrysanthème ». Des dizaines de militants de la Fédération algérienne en France sont arrêtés !

Pour le gouvernement français, l'enlèvement des moines peut apparaître comme une réédition du coup de 1993. D'autant que les relations entre les deux pays sont loin d'être au beau fixe en cette année 1996 !

René Guitton[1] :

« *Depuis l'indépendance, la "tutelle" française persiste et, pour une partie de la classe politique dans l'Hexagone, elle est le résidu inévitable d'un héritage colonial dont elle a du mal à se défaire. Pour d'autres le sentiment de culpabilité prédomine dans ces temps qui préfigurent l'ère des repentances. Néanmoins, qu'ils se nomment François Mitterrand, Édouard Balladur, Jacques Chirac ou Alain Juppé, les hommes au pouvoir à Paris manifestent une méfiance systématique à l'égard d'Alger. Si le lien "filial" demeure incontestable, la relation relève d'un rapport conflictuel mère-fille où l'incompréhension s'est installée depuis plusieurs années. Ceci éclaire en grande partie les difficultés que les deux pays vont rencontrer dans la gestion de la crise de 1996. Ces mois d'avril et mai tiennent du parcours d'obstacles, dont les plus infranchissables sont la susceptibilité et la divergence d'intérêts prioritaires qui reviennent de façon récurrente dans les rapports franco-algériens. Paris veut retrouver les moines vivants, Alger a un souci national : éradiquer les islamistes.* »

Que peuvent faire réellement les Français en dehors des pressions diplomatiques ?

D'une façon générale, la France est très embarrassée dans ses relations avec Alger. Sous Mitterrand, la France soutient les généraux au pouvoir contre les islamistes. Sans se faire d'illusion d'ailleurs sur ce régime corrompu et les méthodes qu'il utilise dans sa lutte contre le terrorisme. Mais nous continuons à aider économiquement l'Algérie et à lui fournir du matériel militaire.

Quand vient Chirac, la situation se tend. Le nouveau président déclare que la position de la France consiste à ne soutenir ni le gouvernement algérien ni les intégristes. Aussitôt Alger se braque. On y affirme que l'on n'a pas de leçon de démocratie à recevoir de la France ! C'est donc dans ce climat que survient l'enlèvement des moines de Tibhirine.

---

1. *Si nous nous taisons – Le martyre des moines de Tibhirine*, Calmann-Lévy, 2001.

Sans véritable possibilité de pression diplomatique, Paris sollicite les services de renseignement. Certes, comme cette affaire se passe à l'étranger, elle est d'abord du ressort de la DGSE. Telle est la position du gouvernement d'Alain Juppé.

Mais il se trouve que la DST entretient traditionnellement de très bonnes relations avec l'ancienne Sûreté militaire, la DRS. Le général Rondot[1], un ancien de la DGSE, est un spécialiste du monde arabe où il compte de nombreux contacts dans les milieux du renseignement. Il est donc tentant d'utiliser ses services.

Toutefois, le gouvernement donne la priorité à la DGSE. L'action de la DST demeurera donc marginale. Accusée d'être manipulée par la DRS algérienne, la DST sera même paralysée par la rivalité qui l'oppose traditionnellement à la « Piscine[2] ». C'est d'autant plus dommage que cette dernière ne jouit pas d'une très bonne réputation en Algérie où l'on n'apprécie guère la curiosité des agents français.

Il faut ajouter qu'à cette guerre des services viendra se superposer des initiatives d'hommes de l'ombre.

Trois semaines s'écoulent après l'enlèvement des moines et on ne sait toujours rien sur l'identité des ravisseurs et leurs revendications.

Soudain le 18 avril, coup de théâtre : sur une radio marocaine puis sur les murs de Médéa, un communiqué du GIA, signé par l'un des pseudonymes de Jamel Zitouni, est enfin rendu public.

Derrière le verbiage islamiste utilisé en de pareilles circonstances, un message est adressé directement à la France : le GIA exige à nouveau la libération de ce Layada emprisonné à Alger et condamné à mort. Si Layada n'est pas libéré, les moines seront égorgés !

C'est apparemment absurde : pourquoi adresser cette demande à la France ? La libération de cet homme ne peut être décidée que par les Algériens qui n'envisagent absolument pas de remettre en liberté ce Layada.

---

1. Voir chapitre XIII.
2. Expression qui désigne, dans le milieu des services secrets, la DGSE dont le bâtiment jouxte la piscine Georges Vallerey, dite « piscine des Tourelles », dans le XXe arrondissement à Paris.

C'est très mauvais signe. En proposant un marché inacceptable, Zitouni et les siens ont-ils déjà décidé d'assassiner les moines ?

Fin avril, un homme se présente à l'ambassade de France à Alger. Prénommé Abdullah, il prétend être porteur d'un message de la plus haute importance. Après les vérifications d'usage, il lui est permis d'entrer. Deux officiers de la DGSE le prennent en charge. L'homme leur remet d'abord un texte portant le sigle du GIA. Jamel Zitouni y réitère ses exigences et demande que les Français désignent un émissaire.

Mais ce n'est pas tout. Abdullah remet aussi une cassette audio aux types de la DGSE. Sur la bande, on entend les voix des moines. Pour bien montrer qu'ils sont encore vivants, l'un des religieux lit les titres de la presse du jour de l'enregistrement effectué il y a un peu plus d'une semaine.

Cette cassette permet au moins d'espérer. D'autant que tous ceux qui ont écouté la cassette sont frappés par la grande sérénité des moines.

Abdullah, ou celui qui prétend se prénommer ainsi, demande un reçu. Un papier signé par les officiers de la DGSE qui reconnaissent ainsi avoir rencontré l'émissaire de Zitouni et affirment leur volonté de maintenir le contact. Ensuite, l'homme monte dans une voiture de l'ambassade avant d'être conduit dans un quartier populaire où il disparaît aussitôt.

Toutefois, il lui a été remis un numéro de téléphone. Le GIA a donc les moyens de communiquer directement avec nos services. D'autre part, si une voiture de l'ambassade a été utilisée, c'est que les Français savent que le bâtiment est placé sous la surveillance de la sécurité algérienne. Cet Abdullah a donc été vu quand il est entré. Peut-être même a-t-il été photographié ?

Par contre, à l'intérieur de l'ambassade, il n'a pas été filmé par les agents de la DGSE. Ceux-ci diront plus tard que ce jour-là le système d'enregistrement vidéo était en panne.

Après cette rencontre, notre service de renseignement décide de jouer cavalier seul. Ni la DST ni la sécurité algérienne, la DRS, ne sont informées. Cela va provoquer un véritable pataquès !

Les Algériens finissent par découvrir la visite de l'émissaire du GIA et l'ont même identifié. C'est le frère du chef du commando islamiste qui a détourné l'Airbus d'Air France en 1994. Aussitôt les Algériens tempêtent. Non seulement les Français leur ont dissimulé ce contact mais s'ils avaient été prévenus, ils auraient pu filer l'homme et remonter jusqu'à Zitouni et à l'endroit où sont détenus les moines.

On ne leur a donc pas fait confiance. En outre, les Algériens soupçonnent la France de vouloir négocier avec le GIA alors que le président Chirac et le Premier ministre Juppé ont solennellement affirmé qu'il était hors de question d'entamer des négociations avec des terroristes !

Cette indignation des Algériens semble assez justifiée. Sauf que les dés sont pipés !

Hubert Coudurier, historien[1] :

« Cette affaire révèle à nouveau la suspicion qui règne entre Paris et Alger. Les Algériens n'arrivent pas à obtenir une copie de la cassette remise aux Français. Redoutant des contacts directs avec le GIA, ils se retournent vers leurs amis de la DST, qui sont les seuls avec lesquels ils entretiennent des relations confiantes. "Une parfaite coordination était nécessaire entre services algériens et français. Mais si la DST a joué le jeu, il n'en a pas été de même pour la DGSE, qui n'a pas communiqué aux Algériens ses informations", confirme Yves Bonnet[2] *à la lettre d'informations* Maghreb confidentiel. *La rivalité est telle que Jean-Louis Debré doit réunir les patrons des deux services dans son bureau pour leur dire crûment : "Arrêtez vos conneries." Pour la DGSE, la DST est trop liée aux services du général Smaïn Lamari au point d'en perdre tout discernement. À l'inverse, la DST considère que la DGSE ne connaît pas le terrain et prend encore les militaires algériens pour des "fellaghas". »*

Avant de donner une explication, il faut signaler un épisode qui reste encore très mystérieux et mérite le conditionnel.

À la suite de la visite d'Abdullah, un début de négociation se serait engagé entre la DGSE et les hommes de Zitouni. Un émissaire français

---

1. *Le monde selon Chirac, les coulisses de la diplomatie française*, Calmann-Lévy, 1998.
2. Ancien patron de la DST, très introduit à Alger.

aurait même pu obtenir de rendre visite aux moines. À cette occasion, il leur aurait remis en cachette un émetteur miniaturisé.

Ce genre d'appareil relié à un satellite peut ainsi déterminer avec une grande précision le lieu d'où il émet. La DGSE, si elle avait obtenu ce précieux renseignement, aurait envisagé une opération héliportée avec des commandos spécialement entraînés. Une opération française en territoire algérien ! Les Algériens n'auraient sans doute pas apprécié.

Mais peu importe puisque l'opération n'a pas eu lieu. Les hommes de Zitouni auraient découvert le microémetteur. Certains affirment même que c'est la raison pour laquelle les moines ont été tués.

Vérité ou désinformation ? Après la fin tragique des moines, le prieur de l'abbaye cistercienne d'Aiguebelle, une abbaye dont dépendait le monastère de Tibhirine, a fait une étrange déclaration : il a affirmé qu'un émissaire français avait pu approcher les sept moines durant quelques minutes. Il leur aurait donné une custode contenant des hosties afin qu'ils puissent communier. Parmi les hosties, il y avait peut-être cet émetteur miniaturisé.

Ce religieux avait à peine fait cette déclaration que le Quai d'Orsay ainsi que les supérieurs du prieur ont démenti avec la plus grande vigueur. Mais plus tard, l'un de ces ecclésiastiques a reconnu qu'il n'avait démenti son confrère que sur la pression du Quai d'Orsay !

Une autre hypothèse, sans doute plus crédible, a été avancée. La voici, même si rien ne permet de l'accréditer.

L'un de ces hommes de l'ombre évoqués plus haut, Jean-Charles Marchiani, est déjà intervenu dans plusieurs libérations d'otages, même si son rôle a été surestimé. Son ami Charles Pasqua propose à Jacques Chirac de faire appel à ses services. Il est en effet réputé pour avoir de nombreux contacts dans le monde musulman où il a mené de nombreuses affaires.

Marchiani, bien qu'il soit préfet du Var, est activé. Il prend contact avec un général algérien qu'il connaît bien et qui va servir d'intermédiaire avec Zitouni. Comme il n'est pas du pouvoir de la France de libérer Layada, le préfet du Var propose l'élargissement de militants islamistes détenus chez nous. Il y ajoute aussi le versement d'une grosse somme d'argent. D'après Marchiani, Zitouni accepte. Le scénario de la libération est même échafaudé. Mais le Premier ministre, Alain Juppé, mis au courant, décide de mettre fin à ces contacts car cette négociation un peu louche risque de compromettre la France.

En interdisant à Marchiani de poursuivre sa mission, a-t-on gâché une chance de libérer les moines de Tibhirine ? C'est improbable : Marchiani ou pas, les religieux n'auraient jamais été libérés vivants.

L'interminable attente se poursuit jusqu'au 22 mai. Une radio marocaine annonce que les sept moines ont été égorgés. Le lendemain, un communiqué du GIA confirme l'information. Puis c'est le gouvernement algérien qui déclare à son tour avoir retrouvé les corps. En fait, uniquement les têtes des moines : ils ont été décapités et leurs corps ont sans doute été enterrés.

Ces dépouilles macabres ont été déposées à la sortie de la ville de Médéa. Ce n'est nullement un hasard. La ville est le fief de Ali Benhadjar, le rival de Zitouni, l'homme qui avait renouvelé l'*aman* donné aux moines et avait aussi rompu avec les membres les plus extrémistes du GIA. En déposant les têtes des moines chez lui, on voulait le compromettre.

La suite est édifiante. Très peu de temps après, Zitouni est évincé du GIA puis assassiné. On s'est à l'évidence débarrassé d'un acteur qui en savait trop.

Cependant un nouveau drame se prépare. Au début du mois d'août, le ministre français des Affaires étrangères, Hervé de Charette, se rend à Alger. Il se rend évidemment sur la tombe des moines de Tibhirine et se prépare à rencontrer son homologue algérien. Auparavant, il a un entretien avec l'évêque d'Oran, monseigneur Claverie, un homme qui connaît l'Algérie de longue date.

Charette rencontre ensuite le ministre algérien. Ça ne se passe pas très bien. Le ministre algérien critique l'attitude de la France qui n'a que trop tendance à se mêler des affaires de son pays en voulant y maintenir ses privilèges économiques !

Quant à monseigneur Claverie, il est déjà reparti pour Oran. Mais il est à peine arrivé dans l'enceinte de son évêché que sa voiture explose ! Une bombe commandée à distance. Un dispositif très sophistiqué qui a pulvérisé l'auto, l'évêque et son chauffeur.

Est-ce le GIA ?

Lorsqu'il commettait un attentat, le GIA utilisait plutôt des bonbonnes de gaz. Qui, en Algérie, possédait ce genre de système et d'explosif ? L'armée et les services de sécurité.

Mais pourquoi les autorités algériennes auraient-elles voulu tuer l'évêque d'Oran ? Il y a au moins deux explications. La première, ce sont les relations houleuses avec la France. Alger aurait voulu envoyer un signal mortel à Paris. La deuxième, beaucoup plus vraisemblable, c'est que monseigneur Claverie en savait certainement très long sur les négociations menées par la France avec le GIA. Mais aussi sur l'implication des services algériens dans l'assassinat des moines de Tibhirine.

Jamel Zitouni était en effet manipulé par la DRS algérienne. Islamiste, il avait été fait prisonnier. Puis il avait été retourné. Il n'était pas seul dans ce cas. Beaucoup de ces groupes armés composant le GIA avaient été complètement infiltrés par les services de sécurité et l'armée.

Plus il y avait de massacres et plus les islamistes étaient discrédités. Et les généraux, maîtres du pays, pouvaient prétendre qu'ils étaient les seuls à pouvoir venir à bout du terrorisme islamiste.

La preuve en a été donnée indirectement au cours d'un procès qui s'est déroulé à Paris. L'un de ces officiers supérieurs, le général Nezza, portait plainte pour diffamation contre un militaire. Un témoin, colonel de l'armée algérienne – mais il n'a pas été le seul – a affirmé que le GIA était une création des services de sécurité ! Reste une question : pourquoi avoir assassiné les moines de Tibhirine ? Ils étaient des hommes de Dieu et tout bon musulman se devait de les respecter et de les protéger. Les hommes qui les ont tués ou fait tuer ont voulu frapper l'opinion algérienne et internationale : voyez de quoi sont capables les islamistes ! Voyez jusqu'où ils peuvent aller !

Roland Jacquard, président de l'Observatoire international du terrorisme[1] :

« Zitouni passait plus de temps à tuer des militants du FIS et du GIA qu'à combattre efficacement le pouvoir algérien. En novembre

---

1. *France-soir*, 1996.

dernier, Zitouni se débarrasse de Mohamed Saïd, chef spirituel du GIA et ancien du FIS. Soit Zitouni le tue parce qu'il veut se débarrasser d'un homme plus fort que lui, soit ce sont les services algériens qui le lui demandent. Et là, c'est lui le traître. [...] Les groupes islamistes ont tous plus ou moins été infiltrés, approchés ou même retournés par les services secrets algériens. Au vu du palmarès de Zitouni, il ne semble pas improbable que tel ait été son cas. Il a réussi comme par miracle à s'échapper deux fois de camps d'internement algériens. Enfin il est le seul chef du GIA à être resté si longtemps en place. Les services secrets peuvent être responsables de sa mort et s'être servis de l'exécution des moines pour s'en débarrasser. »

IV

Le double jeu des salafistes

Faut-il avoir peur ? Un attentat terroriste perpétré par les zélateurs de Ben Laden est-il déjà programmé et quand frappera-t-il notre territoire ? Pour nombre de spécialistes du terrorisme, notre engagement militaire en Afghanistan accroît la menace et la France, malgré son refus de participer à la guerre de George Bush en Irak, demeure une cible. C'est d'ailleurs ce qu'a déclaré le numéro deux d'Al-Qaïda, le Dr Al-Zawahiri.

Mais c'est essentiellement la montée en puissance de l'autre côté de la Méditerranée du GSPC, le Groupe salafiste pour la prédication et le combat, qui inquiète. Un mouvement terroriste qui se présente aujourd'hui comme une branche d'Al-Qaïda et qui aurait adopté un nouveau nom, « Al-Qaïda Maghreb islamique ». Toutefois ce rapprochement n'est avéré que par des textes de propagande.

En tout cas c'est bien le GSPC qui a frappé le 11 avril 2007 au cœur d'Alger et qui, selon la police, préparerait des opérations-suicides au Maroc. Alors assiste-t-on à une unification des groupes terroristes au Maghreb, et plus largement dans le Sahel, qui risquerait de devenir, au dire des Américains, un nouvel Afghanistan ?

Cependant il convient de demeurer prudent. Les services secrets algériens sont en effet des experts en manipulation et les appétits des États-Unis pour les ressources en pétrole et en gaz de la région ne doivent pas être négligés.

Tout d'abord, un chiffre : selon des sources policières, depuis le 11 septembre 2001, une douzaine de tentatives d'attentats a été déjouée chaque année en France. Ce n'est donc pas un hasard si c'est à Paris qu'a été installée une structure internationale rassemblant des représentants de la plupart des grands services de renseignement occidentaux. Une multinationale du renseignement où, naturellement, la CIA occupe une place de premier plan et porte une attention particulière aux nouvelles menaces, et donc à ce GSPC qui serait maintenant inféodé à Al-Qaïda.

Il ne faut pas oublier que l'organisation de Ben Laden n'est nullement centralisée. C'est une nébuleuse à laquelle s'agrègent des mouvements armés. Des mouvements franchisés qui se réclament d'Al-Qaïda pour de pures raisons de propagande. Pour se mettre en valeur ou susciter la peur. Mais lorsque des bombes éclatent à Madrid ou à Casablanca, l'ordre ne vient pas de Ben Laden, même s'il existe des similitudes entre les méthodes traditionnelles d'Al-Qaïda et celles qui ont été utilisées par exemple dans les dernières opérations terroristes perpétrées au Maghreb.

La filiation du GSPC remonte aux GIA algériens et à la branche armée du FIS, l'AIS, l'Armée islamique du salut. Des organisations plus ou moins autonomes, responsables d'une sale guerre de plusieurs années qui fera entre cent cinquante mille et deux cent mille morts. Mais les « fous de Dieu » qui ont perpétré ces carnages ont parfois été infiltrés et manipulés par les militaires chargés de les combattre : des généraux qui avaient mis leur pays en coupe réglée et avaient intérêt à diaboliser les islamistes pour mieux dissimuler leurs propres malversations.

Ces violences ne pouvaient pas épargner la France où vit une importante communauté maghrébine. Pris en otage, soumis au chantage des généraux algériens qui voulaient nous impliquer, notre pays a été victime d'une sanglante série d'attentats en 1995. Mais il semble bien que parmi les commanditaires de ces massacres se trouvait au moins un agent des services algériens.

Le GSPC qui inquiète tant aujourd'hui est donc l'héritier direct du ou des GIA.

Une parenthèse toutefois : le salafisme dont se réclame ce nouveau groupe est un courant de l'islam qui prêche la purification du dogme en le débarrassant de tous les apports culturels ou religieux étrangers. Ces fondamentalistes réclament la stricte application de la charia. Un dogmatisme qui conduit presque naturellement vers l'extrémisme.

Le GSPC est officiellement né en 1998 d'une scission du GIA. L'initiateur de ce divorce est un certain Hassan Hattab dont la famille a été soupçonnée d'avoir participé à l'assassinat des moines de Tibhirine[1].

Hattab, qui s'est donné le titre d'émir, veut en finir avec les conflits internes du GIA attisés par les agents infiltrés de la Direction de la sécurité algérienne et qui dégénèrent souvent en confrontations armées. Il est aussi opposé aux massacres collectifs de civils. Très vite, cette nouvelle organisation se révèle plus disciplinée, plus homogène et plus structurée. De nombreux membres du GIA sont tentés de rejoindre le GSPC. D'autre part, ce groupe bénéficie aussi paradoxalement de la politique de « concorde civile » prônée par le président Bouteflika dès son accession au pouvoir. Un certain nombre de militants islamistes amnistiés, et donc remis en liberté, rejoignent le GSPC. Parmi eux se trouvent plusieurs déserteurs de l'armée algérienne. Enfin, et c'est important, le GSPC s'est attaché à cultiver ses soutiens à l'extérieur de l'Algérie. En Europe, les mosquées britanniques ont ainsi contribué à aider le nouveau mouvement. Leurs imams entretenant des relations avec Al-Qaïda, se pose dès lors la question des rapports entre l'organisation de Ben Laden et le GSPC.

Il faut d'abord observer que l'affiliation du GSPC à Al-Qaïda est très séduisante. L'hypothèse de l'existence d'une hydre islamiste sévissant depuis l'Afghanistan jusqu'au Sahel, en passant par l'Indonésie, conforte les thèses des partisans de la guerre des civilisations.

Mais il faut s'interroger sur les sources d'informations. Or, il apparaît que la plupart des renseignements sur le GSPC sont diffusés par la seule Algérie.

Il convient donc de se méfier. Là-bas, règne toujours l'ancienne sécurité militaire devenu le DRS, Département du renseignement et de la sécurité.

Enfin, il faut tenir compte des intérêts économiques qui sont en jeu.

En janvier 2003, première manifestation spectaculaire de la nouvelle organisation, un groupe armé attaque un convoi militaire près de Batna. Le bilan est très lourd : plus de quarante soldats algériens sont

---

1. Voir chapitre III.

tués. Le commando du GSPC aurait été dirigé par un certain Saïfi Lamari, un homme qu'on désigne plutôt par son surnom : El-Para. Parce qu'il a été effectivement parachutiste dans l'armée algérienne. Il aurait aussi, au début des années 1990, été le garde du corps du ministre de la Défense, le très influent général Nezzar. Puis il aurait démissionné et serait passé dans la clandestinité.

El-Para rejoint alors le GSPC et son émir, Hassan Hattab. À cause de son expérience militaire, il devient rapidement son second.

La violente et sanglante attaque de Batna intervient à la veille de l'arrivée à Alger d'une importante délégation militaire américaine chargée d'explorer avec les autorités algériennes les conditions de la lutte antiterroriste et éventuellement de consentir des aides dans ce combat. Si Alger voulait montrer qu'il n'en avait pas fini avec le terrorisme, cette attaque contre un convoi de l'armée tombait à pic ! Curieuse coïncidence !

Autre bizarrerie : El-Para, toujours lui, revendique l'attaque dans un enregistrement vidéo où il se présente comme étant un lieutenant de Ben Laden, chargé d'implanter une structure d'Al-Qaïda dans le Sahel. Exactement comme s'il avait voulu agiter un chiffon rouge devant ces Américains qui débarquent à Alger.

Conclusion provisoire : tout semble avoir été fait pour impliquer les États-Unis dans la lutte antiterroriste en Algérie.

Peu de temps après, en mars 2003, trente-deux touristes, dont de nombreux Allemands, sont enlevés alors qu'ils effectuent une randonnée au Sahara. C'est à cette occasion que le GSPC fait vraiment son apparition sur la scène internationale. À l'époque c'est une entité parfaitement mystérieuse. Alger évoque un maquis islamiste qui agirait au Sahara, ce qui paraît tout de suite assez irréaliste. Il y a des lieux plus hospitaliers que le Sahara pour constituer un maquis. À moins de disposer de moyens matériels considérables : véhicules, ravitaillement, moyens de transmission, etc. En outre, les déplacements et la prise en charge d'otages aussi nombreux dans un milieu hostile exigent de solides structures.

Cette spectaculaire prise d'otages semble interminable. Des semaines, des mois. Un premier groupe est libéré au mois de mai. Le deuxième ne le sera que beaucoup plus tard, en août !

Il est certain que des rançons ont été versées. Sans doute des millions de dollars. Mais on n'en saura pas beaucoup plus. L'affaire reste entourée de mystère et les otages libérés sont priés de ne pas donner de détails sur leur aventure. Ainsi, selon la version officielle, celle du gouvernement algérien, c'est l'armée qui aurait délivré le premier groupe de touristes. Mais dans quelles conditions ? On ne le sait pas. Et il y a matière à s'interroger. Car l'un des otages parlera quand même.

Au lieu de se servir de leurs otages comme boucliers humains, les ravisseurs prendront au contraire la précaution de les protéger, à l'abri d'une grotte. À l'issue de l'assaut, quand les touristes sortiront, ils ne verront ni morts ni blessés. Alors que l'armée affirmera avoir tué quatre ravisseurs. S'agissait-il d'une mise en scène ? D'un faux assaut ?

Le deuxième groupe est libéré au nord du Mali. Ce qui prouve, une nouvelle fois, que les ravisseurs disposaient de moyens de déplacement importants.

Après ce « succès », les autorités algériennes publient un communiqué officiel : « L'affaire des otages européens confirme l'existence dans le Sahara d'un sanctuaire d'islamistes liés au grand banditisme. » Un texte qui laisse entendre qu'il existe un sanctuaire d'islamistes dans le Sahel. Et donc une implantation permanente qui menacerait tous les pays de la région.

Le Sahel est une vaste bande qui s'étend d'ouest en est, de l'Atlantique à la mer Rouge, et qui recouvre d'immenses territoires désertiques appartenant à la Mauritanie, à l'Algérie, au Mali, au Niger, au Tchad, au Soudan et même à la Somalie. Des pays généralement fragiles et qui, à l'exception de l'Algérie et du Soudan, ne possèdent pas d'armées fortes et bien entraînées.

Autre particularité : la présence de nomades, Maures, Touaregs, Toubous, et les heurts fréquents qui les opposent aux paysans sédentaires, comme au Darfour actuellement.

Dernière spécificité du Sahel, les trafics : armes, voitures volées, cigarettes, drogue. Pour les nomades, les frontières n'existent pas ou peu. Enfin, il existe dans la plupart de ces pays des rébellions qui vivent justement de ces trafics et représentent de vrais facteurs de déstabilisation, ce dont les grandes puissances ne se sont guère occupées.

Jusqu'au moment où l'on a commencé à parler de la présence d'islamistes dans ce vaste Sahel et qu'on a cru y voir l'ombre de Ben Laden.

Al-Qaïda est-elle réellement présente dans le Sahel ?

Oui et non. Oui, parce qu'on ne peut nier qu'une organisation comme le GSPC affirme maintenant être une branche de l'organisation de Ben Laden. Oui aussi, parce que l'émir actuel du GSPC, Abdelmalek Droukdel est un ancien de la guerre en Afghanistan et qu'il est très probable qu'il a rencontré Ben Laden là-bas.

Ce Droukdel aurait même passé une sorte de contrat avec Al-Qaïda. Il aurait accepté d'être le représentant d'Al-Qaïda au Maghreb à condition de bénéficier d'une large audience auprès des médias arabes, comme la télévision Al-Jezira. Ce que seules la popularité et l'influence de Ben Laden pouvaient lui apporter.

Ceux qui croient à une intrication étroite entre le GSPC et Al-Qaïda avancent un autre argument : Ben Laden aurait envoyé au Sahel un émissaire d'origine yéménite chargé de créer des cellules islamistes. Mais cet homme a été abattu en 2002 par les forces algériennes.

A contrario on peut émettre de nombreux doutes. Premièrement, les peuples du Sahel n'ont jamais été les tenants d'un islamisme radical et seraient plutôt hostiles à une implantation d'Al-Qaïda sur leurs territoires traditionnels. Deuxièmement, il est hautement probable que le GSPC est d'abord algérien ! Sa création s'explique d'abord par les problèmes algériens. Et seulement algériens !

Mais si le GSPC peut à l'occasion servir de bras armé à l'organisation de Ben Laden dans la région ou même en Europe, il semble que son existence doive d'abord beaucoup à la volonté de ceux qui ont très envie de voir Al-Qaïda présente dans le Sahel ! Réellement ou fictivement.

Jean-Marc Balancie et Arnaud de la Grange[1] :
« *Loin d'être vide, le Sahara est devenu un lieu de transit d'hommes et de marchandises à l'écart du regard des États. Certains villages proches des frontières sont devenus de véritables zones "grises" ou "franches",*

---

1. *Les Nouveaux Mondes rebelles : conflits, contestations, terrorismes*, Michalon, 2005.

ouvertes à toutes sortes de trafics d'armes, de voitures volées et de ciga-
rettes de contrebande. Ces activités génèrent une criminalité et une insé-
curité importantes, d'autant plus que certains groupes ou mouvements :
MDJT tchadien, restes des mouvements rebelles touaregs au Mali et au
Niger (Front islamique armé de l'Azawagh, Organisation de la résistance
armée, Front de libération armé de l'Azawagh…), Polisario, Cavaliers du
changement (ex-putschistes mauritaniens), contrôlent une partie de ces tra-
fics pour se financer. Certains assimilent ces régions aux "zones tribales"
du Pakistan et affirment qu'elles pourraient accueillir les bases arrière de
réseaux pouvant toucher les pays méditerranéens et l'Europe. »

Ce sont les Américains qui ont récemment présenté la région comme étant le nouveau « front de la guerre contre la terreur ». Mais ils y ont été encouragés. Quoi qu'il en soit, les États-Unis commencent à s'intéresser au Sahel assez peu de temps après le 11 septembre 2001. La guerre contre le terrorisme est alors devenue une priorité et même une obsession pour l'administration Bush. Une obsession qui dissimule bien d'autres objectifs, à commencer par la volonté d'en finir avec Saddam Hussein, quitte à mentir effrontément sur l'existence des fameuses ADM, les armes de destruction massive, et aussi sur les rapports qui auraient existé entre Ben Laden et Saddam Hussein.

Cette logorrhée antiterroriste peut également cacher de pures convoitises économiques : le pétrole irakien, par exemple. Et justement, le Sahel est une région riche en hydrocarbures. On vient même récemment de découvrir du pétrole en Mauritanie. Les Américains, qui ne veulent plus dépendre du seul pétrole moyen-oriental, regardent avec beaucoup d'intérêt ces nouvelles ressources. D'autant que le transport coûterait moins cher et éviterait le passage par des détroits dangereux. En outre, leurs compagnies sont déjà très implantées en Algérie.

La lutte contre le terrorisme n'est donc pas dénuée d'arrière-pensées. Dès 2002, sous le prétexte d'aider ces pays à lutter contre la contrebande, les criminels internationaux et les mouvements terroristes, Washington signe des accords de coopération militaire avec le Mali, le Tchad, le Niger et la Mauritanie.

Un plan pour le Sahel est élaboré et des forces spéciales américaines habituellement basées en Allemagne sont envoyées sur place. Elles sont chargées de former les organismes de sécurité de ces pays : entraînement aux armes, au maniement des moyens de communications, à la technique des patrouilles. À cet effet, les États-Unis installent un camp dans le nord du Mali. Et comme du point de vue américain la menace islamiste ne cesse de croître, ce premier plan est remplacé par un programme encore plus ambitieux et richement doté : « l'Initiative transsaharienne de lutte contre le terrorisme ».

D'autres pays sont maintenant associés à ce programme de coopération militaire : la Tunisie, le Maroc, le Sénégal, le Nigeria et surtout l'Algérie qui va le plus loin dans ce programme de coopération. Selon des accords secrets, le gouvernement algérien accepte l'édification d'une base militaire américaine au Sahara, près de Tamanrasset, qui permettra aux militaires américains de pénétrer dans le Sahara.

En récompense de sa bonne volonté, l'Algérie voit les investissements américains tripler sur son sol, ce qui correspond à la volonté des dirigeants algériens de faire de leur pays la première puissance de la région.

Le rapprochement de l'Algérie avec les États-Unis est donc incontestable. Mais, non sans habileté, le pouvoir algérien ne met pas tous ses œufs dans le même panier. Lorsqu'il le faut, l'Algérie joue de la vieille rivalité entre la Russie et les États-Unis. Poutine vient à Alger au printemps 2006 et signe un énorme contrat de vente d'armement, le plus gros contrat militaire conclu depuis l'effondrement de l'Empire soviétique : six milliards de dollars !

Il s'agit à l'évidence d'un signal adressé aux Occidentaux et particulièrement aux Français, accusés de traîner les pieds dès qu'il est question de livrer du matériel sophistiqué.

En même temps, cette politique de diversification commerciale correspond à la volonté du pouvoir algérien et des généraux de se refaire une sorte de virginité après les terribles dérives de la guerre civile et la question des disparus. Tous ces hommes considérés comme des islamistes et qui ont vraisemblablement été supprimés par l'armée !

Il faut par conséquent tourner la page, afficher une nouvelle respectabilité, en finir avec la sale guerre et ses horreurs. C'est la première tâche que s'assigne le président Bouteflika, dès son élection en 1999. Le président offre la « paix des braves » aux membres du GIA. Seuls les assassins et les violeurs échappent à l'amnistie.

Comme il suffit d'une déclaration sur l'honneur pour bénéficier de l'impunité et même d'une prime de réinsertion, ils sont des milliers à sortir des maquis. Ce qui n'empêche pas leurs frères d'armes de continuer à massacrer des civils. Cette politique des repentis n'est donc pas un vrai succès. C'est pourquoi une deuxième fois, en 2005, Bouteflika offre une nouvelle possibilité de réconciliation. Plusieurs milliers de détenus sont ainsi libérés. Ce qui ne laisse pas d'inquiéter parce que parmi eux il y a des assassins. Mais pour le pouvoir, ce grand coup d'éponge sur les crimes passés a au moins deux avantages. Non seulement il blanchit aussi les exactions commises par les forces de sécurité – désormais toute référence à la guerre civile est interdite sous peine de sanction – mais il montre à l'opinion internationale que l'Algérie est devenue un pays fréquentable.

Cela oblige Bouteflika et les siens à faire une sorte de grand écart. D'un côté, il s'agit de prouver au monde qu'une Algérie nouvelle est née, qu'elle est devenue un pays pacifié, plus respectueux des droits de l'homme et des libertés. Et de l'autre il faut obtenir que les Américains ne relâchent pas leurs efforts dans leur lutte contre le terrorisme. Des efforts qui doivent d'abord bénéficier à l'Algérie autoproclamée gendarme de la région et désireuse d'être reconnue comme telle par Washington.

Pour réaliser cet objectif, il n'y a qu'une solution : il faut attiser l'inquiétude des États-Unis.

> **José Garçon, journaliste[1] :**
> « *Indifférent aux critiques, le régime s'est appliqué à rendre matériellement impossible toute investigation. Un sérieux ménage a été fait au Centre territorial de recherche et d'investigation de Blida qui fut un centre de torture et l'un des lieux de gestion de l'infiltration des groupes islamistes par les services secrets. Nombre de ses cadres ont été mutés et*

---

1. *Politique internationale*, automne 2006.

plusieurs de ses officiers, parmi les plus impliqués dans la répression, ont été promus au cours de l'été 2005.

Reste à savoir si cette amnistie imposée à marche forcée par Abdelaziz Bouteflika est de nature à faire disparaître les rancœurs et les traumatismes accumulés au cours de plus de dix ans de terribles violences. Car décréter l'oubli sans la moindre recherche de la vérité et un travail minimal de mémoire a peu de chance de permettre à la société de se réconcilier avec elle-même. Comment en serait-il autrement quand les victimes croisent à tout moment ceux – terroristes ou militaires – qui furent leurs tortionnaires ? "Les amnisties n'ont jamais réussi véritablement à fabriquer de l'amnésie", rappelle l'historien Benjamin Stora qui en veut pour preuve ce qu'on a vécu en France au lendemain de la guerre d'Algérie où pas moins de quatre lois d'amnistie ont été votées. "En Argentine, note-t-il, une série de lois d'amnistie n'a pas effacé les exactions commises par des acteurs étatiques que l'on envisage aujourd'hui de juger." En attendant, l'enfouissement des crimes du passé risque de déboucher sur des vendettas individuelles et collectives et, surtout, d'empêcher les Algériens de tirer une conclusion essentielle de la guerre civile : la violence n'a pas été et ne peut être une solution. D'ores et déjà, des vengeances sanglantes sont régulièrement signalées dans les régions où les affrontements et la répression furent les plus durs. »

Le pouvoir algérien est contraint à montrer par l'exemple que le terrorisme existe toujours. Quitte à le susciter, comme dans les années 1990.

L'arme est à double tranchant. Parce que c'est aussi faire la démonstration que le pouvoir algérien est impuissant à éradiquer le terrorisme. C'est pourquoi le nom d'Al-Qaïda a été évoqué, suffisant à lui seul à alarmer les Américains et à les faire réagir.

Pour autant, cela ne veut pas dire que tous les attentats terroristes dont on a récemment noté la recrudescence en Algérie sont le fruit de cette intoxication. Mais, manifestement, le DRS, Département du renseignement et de la sécurité, a renoué avec ses vieilles habitudes.

Au cours de l'année 2006, le GSPC revendique une centaine d'opérations armées en Algérie. Le point d'orgue étant des attentats meurtriers contre des commissariats ou des casernes. À l'été 2006, on compte plus de quarante morts dans la banlieue est d'Alger. Et en avril 2007, le GSPC frappe un grand coup en s'attaquant au Palais du gouvernement au cœur d'Alger. Puis c'est un attentat-suicide lors d'un voyage présidentiel à Batna.

En même temps, en Tunisie, des islamistes armés sont éliminés avant d'avoir pu agir, tandis que des attentats frappent le Maroc à Casablanca. Ce qui laisse penser à l'existence d'un cerveau qui aurait unifié le terrorisme maghrébin. Mais c'est une thèse qui correspond un peu trop à ce que certains veulent à tout prix faire croire.

Parmi eux, il y a d'abord les faucons de Washington. Mais il faut aussi regarder du côté du DRS algérien. Un service tout-puissant, dirigé d'une main de fer par le général Mediene qui est, après Bouteflika, le véritable homme fort du régime. D'autant que Bouteflika, malade, est souvent absent de son pays et que ce général a réussi à s'imposer à tous les autres officiers supérieurs qui exploitent sans vergogne le pays depuis tant d'années.

Alors est-il le grand manipulateur ?

Allons plus loin et revenons à ce mystérieux Saïfi Lamari surnommé El-Para.

Ancien homme de main des militaires, sa soudaine conversion a étonné ses amis qui voyaient plutôt en lui un bon vivant et même un fêtard. Autre point intéressant : au cours de sa formation militaire, il a effectué un stage aux États-Unis dans ce fameux Fort Bragg qui a formé tant d'officiers spécialistes de la lutte contre la subversion.

Début mars 2004, El-Para et une cinquantaine de ses partisans sont attaqués et faits prisonniers par des rebelles tchadiens appartenant au MDJT, c'est-à-dire le Mouvement pour la démocratie et la justice au Tchad. Ses ravisseurs l'identifient rapidement comme étant ce dirigeant salafiste recherché depuis l'affaire des otages allemands. La prise est belle.

Ces guérilleros tchadiens sont des laïcs qui ne partagent pas l'idéologie islamiste d'El-Para. Pourquoi ne le monnaieraient-ils pas ? El-Para lui-même le leur suggère. Il affirme qu'en Algérie certains de ses amis pourraient payer très cher sa libération. Toutefois les rebelles tchadiens ne veulent pas entrer dans son jeu. C'est avec le pouvoir algérien qu'ils veulent avoir à faire.

Effectivement, une délégation part pour Alger où elle est reçue par le chef du DRS, ce fameux général Mediene. Mais, grosse surprise, les délégués tchadiens ont la nette impression que les Algériens ne sont nullement pressés ni même désireux de récupérer El-Para. Ils constatent au passage que les services algériens sont très au courant des pérégrinations d'El-Para et possèdent même son numéro de téléphone portable. Ils auraient donc pu aisément le localiser s'ils l'avaient voulu.

Les Tchadiens s'adressent donc ensuite aux Allemands qui ont lancé un mandat d'arrêt international contre El-Para après la libération de leurs nationaux. Là encore, les Tchadiens ont l'impression que les Allemands n'ont guère envie de mettre la main sur le terroriste. Sans doute ont-ils subi des pressions d'Alger qui leur promettaient depuis longtemps la signature d'un gros contrat !

Désireux de se débarrasser de cet encombrant prisonnier dont personne ne veut, les rebelles tchadiens font appel à la Libye. La suite est floue. Ce qui est par contre certain, c'est qu'El-Para arrive réellement en Algérie vers la fin 2004. Aux mains du DRS, il est consigné dans une caserne de Blida où, toutefois, il est libre de ses mouvements.

En 2005, El-Para est jugé. Comme il ne paraît pas à la barre, il est condamné par contumace. Pour le tribunal, il est considéré en fuite alors qu'il réside toujours dans cet établissement militaire algérien.

Lorsque le ministre de l'Intérieur est interrogé à ce sujet par des journalistes, ce représentant du gouvernement, bien embarrassé, fait une curieuse réponse : il ignore l'endroit où se trouve El-Para mais il sait qu'il est en sécurité !

Quant aux Américains, qui auraient pu eux aussi avoir d'intéressantes questions à poser à ce redoutable terroriste islamiste, ils ne demanderont pas la possibilité de l'interroger.

Une seule explication permet de dissiper tous ces mystères : El-Para est un agent algérien ! Pour éviter qu'il ne soit désigné en tant que tel, il convenait de le mettre à l'abri.

Le GSPC est donc infiltré, sinon manipulé, par les services algériens. Pour autant, est-il menaçant ? Il ne faut pas oublier que les terroristes qui ont frappé la France en 1995 étaient eux aussi en partie dans les mains de cette même sécurité militaire. Par conséquent, si les tensions entre notre pays et l'Algérie persistaient ou si Al-Qaïda demandait à ces activistes du GSPC d'agir pour protester contre notre engagement militaire en Afghanistan, le danger ne serait pas écarté. Pour les talibans et Ben Laden, la France se trouve toujours dans le camp des croisés. Il convient d'être prudent même s'il faut raison garder. Et surtout se méfier de ces simplifications hâtives et mensongères et du climat de psychose qui sévit dès qu'on prononce le nom de Ben Laden !

Quelques spécialistes, les journalistes français José Garçon et Jean-Baptiste Rivoire, pensent aussi que le GSPC est pénétré par le DRS algérien et mettent en doute les liens réels qui pourraient exister entre ce groupe terroriste et Al-Qaïda. Ils sont même persuadés que c'est l'existence du GSPC qui justifie la présence américaine dans la région. Présence militaire mais aussi économique qui permet aux États-Unis de faire pièce aux intérêts français dans des pays qui nous étaient traditionnellement fidèles.

Patrick Forestier, journaliste[1] :

« Après le dernier bivouac, on nous emmène sur une crête, par un sentier emprunté par les chameliers. Plusieurs combattants masquent l'entrée d'une faille. Au fond, couché sur une natte, un homme attend, les mains serrées par des menottes. C'est lui. Nous sommes devant "El-Para". Il ressemble à une figure biblique, à mi-chemin entre Jésus-Christ et Mahomet. Il mesure deux mètres et doit peser quatre-vingt-dix kilos. Ses yeux verts me dévisagent comme un aigle prêt à fondre sur sa proie. Il a le teint clair et les cheveux châtains. "Vous êtes prisonnier. Vous n'êtes pas obligé de parler", lui dis-je. À ma grande surprise, il accepte. "Nous sommes venus au Sahara car en Algérie l'armée massacre nos frères. Nous y sommes depuis 1994. Nous vendons des voitures à des pauvres grâce à des allers-retours avec le nord de l'Algérie, me dit-il comme pour justifier un trafic. Pour nous, le Sahara est une base arrière. Notre objectif c'est changer le régime grâce au jihad. Nous sommes prêts à mourir pour cela". »

---

1. *Paris-Match*, 2002.

V

Liban (1) : la « guerre de deux ans »

Le cauchemar à nouveau. Depuis 1990, les Beyrouthins avaient oublié ou feint d'oublier. Et soudain, au cœur de la ville, ce spectacle d'automobiles calcinées, de cadavres pantelants au milieu de la chaussée. Comme un mauvais réveil.

Mais après le drame, il y a eu la ferveur, le sursaut d'un peuple qui ne veut plus revivre les horreurs d'une guerre civile qui a ensanglanté leur pays pendant quinze ans. Car, au-delà de l'assassinat de l'ancien Premier ministre Rafic Hariri, de la guerre entre Israël et le Hezbollah et de la réduction du camp islamiste de Nahr-al-Bared, les Libanais essaient d'exorciser ce retour de la violence, et leur propre peur. Mais peuvent-ils surmonter le communautarisme qui déchire le pays depuis tant de générations ?

Contrairement à ce que prétendent certains Libanais chrétiens, il n'existe qu'un seul peuple au Liban : un peuple arabe. Et c'est seulement pour se différencier de leurs concitoyens musulmans que certains maronites prétendent descendre des Phéniciens ou encore des croisés européens du Moyen Âge. Ce n'est pas sérieux. Les ethnologues font remarquer que tous les Libanais, à la seule exception de la communauté arménienne, partagent la même langue, la même culture et les mêmes structures de parenté.

Comment ce pays qu'on a si longtemps appelé « la Suisse du Proche-Orient » a-t-il donc basculé dans la violence ?

Ne remontons pas plus loin qu'au XIXᵉ siècle, c'est-à-dire à l'époque de la domination turque. Les chrétiens maronites[1] , qui jouissent d'une relative autonomie, forment alors la communauté la plus importante du pays à côté des sunnites, des chiites et des Druzes[2]. La montée en puissance des maronites et leur expansionnisme croissant irritent les Druzes. À partir de 1820, la rivalité entre les maronites et les Druzes prend une tournure violente. Les chrétiens estiment en effet qu'étant les plus nombreux ils ont vocation à être les maîtres du pays.

En 1840, une véritable guerre civile de vingt ans éclate et ruine le pays. D'une certaine façon il s'agit de la répétition générale de ce qui se passera un siècle plus tard. Car les Libanais, incapables de régler entre eux leurs différends, s'en remettent à l'étranger. Ce qui leur permettra ensuite de prétendre qu'ils sont les victimes de rivalités internationales.

Les Druzes demandent le soutien de la Grande-Bretagne, les maronites, celui de la France, traditionnellement considérée comme étant le protecteur des chrétiens d'Orient. Quant aux orthodoxes, ils en appellent à la Russie. Tandis que la Turquie, exacerbant les rivalités religieuses, en profite pour tenter de mettre fin à l'autonomie de fait des maronites.

Ces conflits communautaristes sont aussi accompagnés de révoltes contre les seigneurs de la guerre, des féodaux qui règnent en maîtres sur les populations et joueront plus tard un rôle particulièrement néfaste.

Après une vingtaine d'années de massacres et des dizaines de milliers de morts, les Français, plus ou moins soutenus par les autres grandes puissances, débarquent au Liban afin de rétablir l'ordre. Les maronites, qui se voient concéder une province autonome autour du mont Liban sous l'autorité théorique d'un gouverneur ottoman de confession chrétienne, ont le sentiment d'avoir triomphé.

Après cette tragédie, le pays vit un véritable âge d'or. Selon certains historiens, en un demi-siècle, le Liban passe du Moyen Âge au modernisme. Cependant les mentalités n'évoluent pas au même rythme que le développement économique. Et si on observe un renouveau littéraire de la langue

---

1. Saint Maron, un ermite du V⁰ siècle, est à l'origine d'une secte chrétienne longtemps persécutée par l'empire byzantin. Les maronites se sont essentiellement fixés sur le mont Liban, une véritable forteresse naturelle.

2. Cette secte musulmane hérétique chassée autrefois d'Égypte a trouvé refuge dans la montagne libanaise du Chouf. Ce sont des guerriers très disciplinés qui s'interdisent tout prosélytisme.

arabe, on note aussi que les relations étroites qui se sont nouées avec l'Europe et l'Amérique accroissent le mépris des chrétiens pour les musulmans.

Quand arrive la guerre de 1914-1918, les Turcs, qui ont pris parti pour l'Allemagne, mettent fin à l'autonomie de la province du mont Liban, les maronites étant soupçonnés d'avoir des sympathies pour les Alliés. Encerclés, les habitants de l'enclave chrétienne sont littéralement affamés. Deux cent mille Libanais maronites périssent de faim ou de maladie. Un drame qui nourrira le sentiment de persécution dont feront souvent preuve les maronites.

Après la guerre, l'Empire ottoman est dépecé. Les vainqueurs se sont partagé les dépouilles, avant même la fin de la guerre. Selon les fameux accords Sykes-Picot signés entre la France et la Grande-Bretagne, les États du Levant, comme on les appelait, c'est-à-dire le Liban et la Syrie, doivent revenir à la France, puissance mandataire. Dès 1920, des troupes françaises, sous les ordres du général Gouraud, entrent au Liban. Après s'être débarrassé de l'armée du souverain hachémite Fayçal à qui les Britanniques avaient promis le trône de Damas malgré les accords signés avec la France en 1916, le général crée l'État du Grand-Liban. Un ensemble qui regroupe le mont Liban, des territoires au sud, et au nord, la plaine de la Bekaa. Ce faisant, Gouraud sépare le Liban de la Syrie, qui n'avaient été unis que sous le règne éphémère de Fayçal, et met fin aux espoirs de réalisation d'une « Grande Syrie ».

Il n'empêche que ce concept laissera des traces dans les esprits. Il se créera même dans les années 1920 un Parti populaire syrien qui militera pour la réunification.

Gouraud, chrétien militant, ne manque pas de favoriser les maronites et doit aussi réprimer plusieurs révoltes druzes et musulmanes. Après son départ, son successeur institutionnalise le système politique libanais. Rien de très différent par rapport à ce qui existait du temps des Turcs : chaque communauté gère comme elle l'entend le statut personnel de ses membres. Mais, du même coup, le confessionnalisme politique est ainsi reconnu. Et il perdure. Sur sa carte d'identité, le citoyen libanais doit mentionner sa religion. Quant aux athées, qu'ils le veuillent ou non, ils doivent choisir une religion. En même temps, on renforce la séparation entre les communautés et on les empêche de se mélanger.

Liban (1) : la « guerre de deux ans »

D'autre part, en 1932, les Français font procéder à un recensement. La communauté maronite apparaît alors comme la principale entité religieuse du pays. Il n'y aura plus jamais de recensement. Aujourd'hui encore, on vit sur cette fiction selon laquelle les maronites sont les plus nombreux. Or, leur taux de fécondité étant supérieur, ce sont les chiites qui forment désormais le groupe le plus important.

C'est d'autant plus grave que pendant la Seconde Guerre mondiale, les Français libres, après avoir chassé les troupes vichystes du Liban, élaborent à partir de ce recensement de 1932 un pacte national non écrit qui préside toujours à l'organisation politique du pays. Ainsi le président de la République doit être obligatoirement issu de la communauté maronite tandis que le Premier ministre est sunnite et le président de l'Assemblée nationale chiite. Une règle qui prévoit aussi que, dans la fonction publique, les postes doivent être réservés aux diverses communautés dans la proportion de six chrétiens pour cinq musulmans.

Ces derniers, les plus nombreux, se sentent forcément mal traités. Ce sera aussi l'une des causes de la fracture de 1975. Cependant, des éléments extérieurs viennent également attiser ces différends après la Seconde Guerre mondiale. Les maronites sont plutôt tournés vers l'Occident alors que les musulmans regardent du côté des pays arabes. Surtout lorsque l'Égyptien Nasser, tenant tête aux Français et aux Britanniques, devient le champion du panarabisme et flirte avec le camp socialiste. En cette période de guerre froide, c'est un nouveau sujet de tension entre les communautés. Et en 1958, une mini-guerre civile éclate entre chrétiens et partisans du panarabisme.

Des marines américains débarquent et s'interposent. Pourtant, après ce violent épisode, le Liban se prend à espérer. Un nouveau président de la République est élu : le général Fouad Chehab. Un dirigeant qui tranche avec ses prédécesseurs. D'abord, il fait en sorte que le Liban se rapproche de ses voisins arabes. Ensuite et surtout, il associe les dirigeants sunnites au pouvoir, augmente la participation des musulmans dans l'appareil d'État et met fin à un certain nombre de privilèges acquis.

Bien sûr, ses successeurs n'auront rien de plus pressé que de revenir sur ces principes de raison et finiront par précipiter le Liban dans le chaos !

Jonathan Randall, journaliste et écrivain[1] :

« *Dès les tout premiers jours du mandat confié à la France par la Société des Nations, les chrétiens – et particulièrement les maronites – avaient eu beaucoup de mal à choisir une marche à suivre. Pour la première fois depuis plus de mille ans, des chrétiens d'Orient se retrouvaient aux commandes d'un État, et ce grâce à des chrétiens d'Occident. C'était un peu comme si les croisades avaient réussi. Cependant, les maronites, si inventifs, si ingénieux lorsqu'il s'agissait de faire inlassablement campagne en faveur de la réalisation de leurs aspirations, se révélèrent tristement dépourvus d'imagination une fois au pouvoir. Jamais ils ne parvinrent à oublier les souffrances qu'ils avaient endurées ; jamais (sauf sous la présidence du général Fouad Chehab, de 1958 à 1964), ils ne comprirent la nécessité d'assurer le bien-être des autres communautés. Cheikh Pierre Gemayel mit un jour le doigt sur la véritable difficulté : "La peur psychologique qu'éprouvent les chrétiens est intériorisée, viscérale et tenace. Nous ne pouvons y remédier en aucune façon. C'est aux musulmans de nous rassurer !"* »

La situation internationale n'est donc pas sans répercussion sur le petit Liban qui continue néanmoins à prospérer même si la richesse ne profite pas à tous. Tandis que le centre de Beyrouth offre un étalage de luxe qui attire les hommes et femmes les plus fortunés des États du Golfe, il se crée des bidonvilles à la périphérie où stagne une population essentiellement chiite qui vient des zones rurales. Mais, à partir de 1967 et la guerre des Six-Jours, la question palestinienne modifie profondément la situation du pays.

Certes des Palestiniens résidaient déjà au Liban. En 1947, des Arabes qui avaient fui ou qui avaient été chassés par les sionistes s'étaient

---

1. *La guerre de mille ans*, Grasset, 1984.

installés dans des camps situés dans les banlieues des villes. Les maronites n'avaient pas vu arriver d'un très bon œil cet afflux de Palestiniens qui renforçaient encore le camp musulman. Toutefois, il y avait aussi parmi eux de nombreux intellectuels. Établis à Beyrouth, ils participaient au prestige culturel de cette ville brillante et ouverte.

Les maronites ne se sont pas sentis concernés par cette troisième guerre entre les Arabes et les Juifs. Il n'en a pas été de même pour les autres communautés qui ont pris parti contre l'occupation de Jérusalem, de la Cisjordanie et de Gaza. D'autant qu'en théorie au moins le Liban était toujours en guerre contre Israël. Seule une convention d'armistice avait été signée, mais pas la paix ! La question palestinienne a donc été un nouveau facteur de division entre chrétiens et musulmans libanais.

Aux réfugiés de la première heure se sont donc ajoutés ceux de la guerre des Six-Jours puis ceux qui seront chassés de Jordanie après le terrible « Septembre noir ». On estimera, juste avant 1975, que les Palestiniens représentent 10% de la population libanaise. C'est beaucoup trop pour les maronites qui ne les apprécient guère et craignent non sans raison que la présence de ces réfugiés ne finisse par leur attirer de sérieux ennuis avec Israël.

Les différentes factions palestiniennes installent à Beyrouth leurs structures de commandement et les fedayin vont commencer à mener des actions contre Israël à partir du territoire libanais.

Dès 1968, la capitale libanaise est frappée par les Israéliens. Un commando héliporté s'introduit dans l'aéroport de Beyrouth et détruit tous les avions de la flotte commerciale libanaise. À Paris, le général de Gaulle, furieux, décide un deuxième embargo contre Israël. Mais ça n'empêche pas l'aviation israélienne d'effectuer un raid aérien au Liban sur un camp de réfugiés tandis que les incidents se multiplient à la frontière entre les deux pays où de nombreuses incursions israéliennes provoquent la mort de civils libanais. Le gouvernement de Beyrouth, bien embarrassé, cède alors à la pression des Palestiniens et conclut avec eux en 1969 un accord assez incroyable et, pour tout dire, très imprudent.

Il leur est en effet reconnu le droit de mener la lutte armée contre Israël à partir du territoire libanais. Quant à l'OLP, l'Organisation de libération de la Palestine, elle obtient d'exercer un contrôle quasi exclusif sur les camps de réfugiés. Cet accord met donc à mal la souveraineté libanaise. À cela s'ajoute le fait que les Palestiniens ont de plus en plus tendance à se sentir chez eux au Liban. Ce qui provoque la fureur des maronites irrités par l'omniprésence des commandos palestiniens qui n'hésitent pas à se mesurer avec l'armée libanaise. Une armée censée refléter la composition confessionnelle du pays. Son commandant en chef est chrétien mais le chef d'état-major est druze. Toutefois l'existence dans ses rangs de nombreux officiers maronites fait qu'elle aura toujours tendance à pencher du côté chrétien. Ainsi les militaires libanais interviennent parfois contre les Palestiniens mais se montrent curieusement passifs lorsque les Israéliens font des incursions au Sud-Liban ou lorsque les commandos de Tsahal viennent frapper des dirigeants palestiniens au cœur de Beyrouth. À l'évidence, il existe déjà une connivence entre maronites et Israéliens. Elle ne tardera pas à se concrétiser un peu après le début de la guerre puisqu'ils ont les mêmes ennemis : les Palestiniens.

La tension ne cesse de croître entre l'armée libanaise et la résistance palestinienne. Dès lors, l'affrontement paraît inéluctable. Chez les maronites, on s'y prépare activement en armant et en entraînant les milices. Les principaux chefs chrétiens, ces « seigneurs de la guerre » comme on les a appelés, disposent chacun de leur propre force armée. Des milices rivales qui parfois se lancent les unes contre les autres avec une sauvagerie inouïe. La plus importante d'entre elles est dirigée par les Gemayel. Les Phalanges qu'on nomme aussi les Kataëb ont été créées avant guerre par Pierre, le chef du clan, après un voyage en Allemagne où il a été très impressionné par les nazis.

Soleiman Frangié, président de la République dans les années 1970, possède aussi sa propre force, les Brigades Marada, et règne en maître dans son fief du nord du pays. Il existe aussi les Tigres, ou Noumour de Camille Chamoun, un autre chef de clan chrétien. De l'autre côté, les Palestiniens disposent bien sûr de leurs propres forces, très bien armées, grâce aux subsides de l'Arabie saoudite. Ils entendent représenter la communauté sunnite. Quant aux Druzes du chef progressiste Kamal Joumblatt, ils possèdent aussi leur milice et rejoindront les Palestiniens et la gauche libanaise au sein d'un Mouvement national. Enfin l'organisation chiite créée par l'imam Moussa Sadr, le Mouvement des déshérités, s'est également dotée d'une force armée.

La coexistence de ces milices est donc explosive. D'autant que les voisins israélien et syrien ne cessent de mettre de l'huile sur le feu. Damas n'a jamais renoncé à annexer le Liban. Face au désengagement progressif de l'Égypte qui entend mettre fin à la confrontation avec Israël, le président syrien, Hafez Al-Assad, se pose en champion de la cause arabe et rêve de contrôler à son profit la résistance palestinienne. Il a même encouragé la formation d'une force armée, la Saïqa, qui servira souvent de faux nez à l'armée syrienne.

En tout cas, tous les ingrédients sont donc rassemblés pour que l'explosion se produise.

En avril 1975, alors que Pierre Gemayel participe à l'inauguration d'une église dans la banlieue de Beyrouth, des inconnus tirent sur la foule. Il y a deux morts. Les représailles commencent aussitôt.

Charles Zorgbibe, historien[1] :

« Pour certains observateurs, le conflit est purement interne. Il tire ses racines d'un système communautaire dépassé qui exprimait le compromis entre un Liban à visage arabe (thèse chrétienne) et un Liban intégré à la Syrie (thèse sunnite). Cependant, le système ne pouvait fonctionner sur la base d'une association de minorités car les partis politiques ne recherchaient pas l'intérêt général du pays mais poursuivaient des intérêts confessionnels, locaux ou personnels. Le président de la République, obligatoirement chrétien et dont le statut était hybride (ni chef de l'État d'un régime parlementaire, ni président d'un régime présidentiel) tirait en fait un pouvoir toujours plus renforcé entre ses mains des divisions du Parlement ou de l'impuissance du cabinet. La rupture du système se serait produite lorsque les contradictions sociales et économiques auraient fait apparaître l'obsolescence de ce cadre institutionnel fondé sur le confessionnalisme.

1. *Les organisations internationales*, Puf, 1997.

> *Pour d'autres, la présence des Palestiniens qui constituent véritablement un État dans l'État a divisé l'opinion publique, partagée entre les impératifs de la sécurité et les exigences de la solidarité arabe devant se manifester par un soutien aux fedayin. Dans le cadre de cette contradiction, l'accord du Caire du 3 novembre 1969 impose au Liban une doctrine de la souveraineté limitée à usage interarabe qui, par ricochet, prolonge au pays du Cèdre les rivalités arabes qui ne peuvent s'exprimer ailleurs... »*

Le hasard fait que, peu après cette fusillade, un autocar transportant des fedayin passe devant cette même église. Aussitôt, les phalangistes présents ouvrent le feu. Une trentaine de Palestiniens sont tués.

La gauche, essentiellement musulmane – mais il y a aussi des chrétiens chez les Palestiniens – proclame la grève générale. Trois jours plus tard, le cœur de Beyrouth s'embrase. Phalangistes et membres des milices de gauche s'affrontent, armes à la main. La première guerre civile commence. Elle va durer quelque deux ans.

D'autres combats se déroulent au sud, au nord et à Zahlé, une ville qui se trouve au débouché de la plaine de la Bekaa.

À Beyrouth même commence la bataille des grands hôtels qui provoque la ruine de ces luxueux établissements situés en bord de mer. Les souks sont incendiés par les chrétiens tandis qu'on institue une « ligne verte » c'est-à-dire une ligne de front qui sépare Beyrouth en deux. À l'ouest, les musulmans, à l'est les maronites. On se massacre de part et d'autre. Un seul exemple : le « samedi noir » au mois de décembre 1975. À la suite de la découverte de cinq cadavres de phalangistes mutilés à la hache, leurs camarades de combat se déchaînent. Une centaine de musulmans tombent sous les coups des miliciens.

À l'étranger, les Syriens, les premiers, essaient de calmer le jeu. Une tentative qui n'est pas tout à fait désintéressée. Damas brûle d'envie de mettre son grain de sel dans le conflit. Le Vatican, la France prêchent aussi la paix. Mais ces initiatives demeurent uniquement diplomatiques et ont peu d'effets sur le terrain.

Les États-Unis, eux, sont d'abord impliqués dans la politique de rapprochement entre l'Égypte et Israël. La situation libanaise passe au second plan.

Liban (1) : la « guerre de deux ans »

La spirale de la violence semble ne jamais pouvoir prendre fin. Exactement comme si les Libanais prenaient une sorte de plaisir pervers à détruire ce qu'ils avaient construit.

Chez les chrétiens, très tôt, des liens ont été noués dans le plus grand secret avec Israël. On attend de l'État hébreu une protection et des armes. Mais les Israéliens ne sont pas très chauds. Peuvent-ils faire vraiment confiance à ces conservateurs chrétiens qui ont tendance à pleurnicher ? Sans compter que cette situation de chaos qui prévaut au Liban, un État arabe, ne représente que des avantages. Il en ira forcément autrement quand la Syrie s'impliquera militairement dans le conflit.

Les Palestiniens eux-mêmes, bien qu'étant liés au camp musulman progressiste, adoptent une curieuse attitude et se gardent de s'immiscer dans cette guerre confessionnelle interne. Mais, début 1976, les phalangistes lancent des attaques contre des camps palestiniens. Ce n'est pas innocent : il s'agit clairement d'impliquer les Palestiniens et de les obliger à riposter. Le camp chrétien, obsédé par la présence palestinienne au Liban, veut ainsi montrer du doigt les vrais fauteurs de troubles. En outre, cet engagement contre les Palestiniens ne peut pas déplaire aux Israéliens.

Damas décide enfin de réagir en envoyant au Liban la Saïqa, cette armée palestinienne sous commandement syrien. Étrangement, personne ne s'offusque. Ni les Israéliens qui feignent de croire qu'il ne s'agit pas véritablement d'un engagement syrien, ni même les chrétiens. Les Américains approuvent même cette intervention syrienne qui débouche sur un cessez-le-feu sous l'égide de Damas.

Paradoxalement, le camp progressiste, le Mouvement national comme on l'appelle désormais, considère que la Syrie lui a volé sa victoire car les chrétiens se trouvaient en mauvaise posture. Aussi son leader, le Druze Kamal Joumblatt décide-t-il de reprendre le combat contre la volonté syrienne. Peu à peu la rupture s'amorce entre la gauche et les Palestiniens d'une part et la Syrie d'autre part. Il s'agit d'un véritable retournement d'alliance : au début de l'été 1976, les chrétiens en difficulté font officiellement appel à la Syrie, l'ennemi d'hier.

Damas s'empresse bien entendu de répondre favorablement à ce SOS : l'armée syrienne peut donc entrer au Liban !

En réalité, le président Assad se moque bien du sort des chrétiens. Mais leur appel au secours est une divine surprise parce qu'il lui permet de pénétrer au Liban avec la panoplie du chevalier blanc. Et, toujours dans l'espoir de construire un jour la Grande Syrie, il poursuit trois objectifs : contrôlant la guerre, il contrôle *ipso facto* le Liban. Il peut aussi avoir l'œil sur ces Palestiniens trop remuants qu'il aimerait bien manipuler à son profit. Enfin, il entend éviter une partition du Liban et donc la création d'un État chrétien qui, immanquablement, s'allierait à Israël.

En même temps, la guerre entre les deux camps prend une nouvelle tournure. Dans Beyrouth, les belligérants se battent maintenant à l'arme lourde tandis que de part et d'autre on se livre au pillage pour financer la guerre. Ainsi, ce sont vraisemblablement des Palestiniens qui effectuent le casse du siècle en fracturant les coffres de deux grandes banques. Mais il n'est pas exclu que quelques chrétiens et des gangsters leur aient donné un coup de main pour s'emparer d'un butin évalué à plusieurs dizaines de millions de dollars.

Quant aux miliciens phalangistes, ils pillent méthodiquement le port. Là encore ce sont des sommes faramineuses qui sont en jeu.

Israël semble accepter l'intrusion syrienne. D'autant que leur protecteur américain n'y trouve rien à redire. Mais l'État hébreu manœuvre en coulisses. Comme le président Assad l'a bien imaginé, les Israéliens jouent la carte d'un État maronite indépendant et aident matériellement les chrétiens. Pourtant il n'y a pas unanimité à Tel-Aviv. D'autres stratèges envisagent au contraire une partition différente du Liban : Israël annexerait le sud du pays et abandonnerait le nord à la Syrie. Le nord où seraient refoulés les Palestiniens. Ainsi serait réglée une fois pour toutes la question palestinienne. Un plan qui ne déplairait pas forcément à Washington.

Les chrétiens, grâce à l'entrée des troupes syriennes, desserrent l'étau des forces palestino-progressistes et se lancent à l'assaut d'un important camp de réfugiés à Tell-al-Zaatar dans la banlieue de Beyrouth, une enclave dans le camp chrétien. C'est alors que commence la plus terrible bataille de cette « guerre des deux ans », comme on l'a appelée. Trois mille Palestiniens y trouvent la mort et on compte des milliers de blessés.

Liban (1) : la « guerre de deux ans »

Ce siège dure presque deux mois et permet aux chrétiens de se constituer un territoire homogène, peut-être l'amorce d'un État maronite.

Non seulement les Syriens ont laissé faire mais à leur tour ils lancent leurs troupes contre les forces palestino-progressistes. Et ce sont les pays arabes qui vont devoir siffler la fin de la partie et mettre fin à la guerre. Au moins provisoirement.

L'Arabie saoudite, principal bailleur de fonds des Palestiniens, ne peut accepter l'écrasement de ses protégés. En parfait accord avec les deux « supergrands », elle obtient de la Syrie un arrêt des combats. Puis, au cours d'un sommet arabe, il est décidé d'envoyer au Liban une force de dissuasion chargée de veiller à la sécurité et au respect du cessez-le-feu.

Toutefois, les dés sont pipés. La FAD, la Force arabe de dissuasion, est essentiellement composée de soldats syriens. En réalité, Damas continue donc de contrôler le Liban.

Le pays est en ruines mais connaît une relative accalmie. Soixante mille Libanais ont déjà trouvé la mort et des dizaines de milliers d'autres ont fui. La paix n'a jamais été aussi précaire et toutes les factions, malgré la lassitude de la population, ne demandent qu'à en découdre à nouveau. Après avoir appelé les Syriens à la rescousse, les chrétiens sont résolus à tout faire pour se débarrasser de leur tutelle tandis que les Israéliens, eux, se préparent à intervenir militairement.

VI

Liban (2) : le paroxysme

Il est vrai que ça ressemble à la paix. Mais une paix armée. Au Liban-Sud, par exemple, de nombreux incidents opposent la résistance palestinienne à Tsahal.

Le début de l'année 1977 est marqué par un événement considérable : l'assassinat du chef druze Kamal Joumblatt, leader incontesté du camp progressiste qui prônait la construction d'un Liban pluraliste et déconfessionnalisé et qui s'opposait à l'hégémonie syrienne.

Même si les tueurs n'ont jamais été identifiés, il ne fait nul doute que Damas se trouve derrière ce crime. La meilleure preuve, c'est que le leader druze a été abattu à quelques centaines de mètres d'un barrage de la FAD, la Force arabe de dissuasion, où dominent les Syriens.

Pour le Liban, la perte est considérable : ce chef charismatique aurait pu jouer un rôle fondamental dans une éventuelle réconciliation entre les différentes factions.

L'assassinat de Joumblatt est suivi, comme bien souvent, par des représailles. Alors que ses partisans sont persuadés que les Syriens sont responsables de son élimination, ils s'en prennent paradoxalement aux villages chrétiens établis dans leur fief, la montagne du Chouf. Sans doute parce que les chrétiens sont encore alliés aux Syriens.

Quoi qu'il en soit, ces actes de vengeance provoquent la mort de plusieurs dizaines de chrétiens. Le fils de Joumblatt, Walid, doit user de sa toute nouvelle autorité pour mettre fin aux massacres.

Autre élément très important au cours de cette année 1977, l'émergence d'un autre jeune homme dans le camp maronite : Bechir Gemayel, fils du créateur des Phalanges. Fougueux et entreprenant, ce partisan d'un Liban chrétien et pro-occidental, est bien décidé à regrouper autour de lui les forces maronites au sein d'un front national libanais.

Bechir fait son entrée sur la place publique en organisant une grève contre la présence de la FAD à Achrafieh, au cœur du Beyrouth chrétien. C'est le début d'un nouveau et étonnant retournement d'alliance. Le camp chrétien supportant de plus en plus mal l'occupation syrienne, Damas tourne casaque et se rapproche des Palestiniens et des progressistes musulmans regroupés dans le Mouvement national.

Ce revirement est d'autant plus évident pour le président syrien qu'après le rapprochement spectaculaire entre l'Égypte et Israël, et les vives protestations des pays arabes qui ont suivi, il aspire à prendre la tête de ce front du refus. Dans ces conditions, il ne peut pas ne pas renouer avec l'OLP d'Arafat.

La question palestinienne est bien la grande absente de la réconciliation égypto-israélienne. L'inflexible Premier ministre d'Israël, Menahem Begin, ne veut pas entendre parler de la création d'un État palestinien. Et, rasséréné par la paix séparée avec l'Égypte, il s'intéresse de plus en plus au Liban qui donne asile aux Palestiniens et leur permet même d'attaquer Israël à partir de son sol.

En mars 1978, Tsahal lance une opération d'envergure : après une campagne de bombardements, vingt-cinq mille soldats israéliens pénètrent au Sud-Liban. L'objectif est d'occuper une bande de terre de dix kilomètres afin de sécuriser la frontière et d'empêcher les tirs de fedayin sur les villages du nord de la Galilée.

L'offensive israélienne au Sud-Liban, qui pousse des milliers de réfugiés, et parmi eux nombre de Palestiniens, vers Beyrouth, suscite le courroux de la communauté internationale. Conséquence, l'ONU envoie une force d'interposition au Sud-Liban, la Finul. Mais les Israéliens n'hésiteront jamais à bousculer ces Casques bleus lorsqu'ils en auront envie ou besoin.

Avec le soutien inconditionnel de l'État hébreu, un général chrétien, Haddad, crée une armée du Liban-Sud. C'est un message et un encouragement adressés aux maronites : pourquoi, dans le réduit que vous contrôlez, ne formez-vous pas une force semblable puisque votre armée nationale n'existe pratiquement plus ?

Visiblement, Begin est décidé à aider de plus en plus le camp chrétien puisqu'on verra même des miliciens phalangistes venir s'entraîner en Israël. Mais pour constituer une force puissante, encore faudrait-il que les chrétiens soient d'accord entre eux ! Or les rivalités entre les seigneurs de la guerre demeurent. Ainsi, l'ancien président de la République, Soleiman Frangié, entend, lui, demeurer fidèle à l'alliance syrienne et quitte le Front national.

Uni par des liens familiaux avec le président syrien Hafez Al-Assad, il n'entend pas non plus subir la tutelle des autres clans chrétiens, ceux des Gemayel et des Chamoun. Surtout à un moment où Bechir Gemayel monte en puissance et ambitionne de devenir le chef de tout le camp chrétien. Par conséquent, il fait retraite dans son fief du nord, un territoire qu'il contrôle parfaitement. Mais cette position de rupture va coûter très cher au clan Frangié.

Un jour de juin 1978, un commando puissamment armé pénètre dans le palais du fils de Soleiman, Tony. Toutes les personnes présentes, femmes, enfants, miliciens, sont sauvagement abattues. Un carnage : plus d'une trentaine de morts.

Les représailles ne tardent pas. Aussitôt après, une quarantaine de sympathisants des phalangistes sont tués dans des villages du nord. Le chef du clan Frangié, Soleiman, promet qu'il tuera tous les responsables de la tuerie au cours de laquelle les siens ont péri. Les Gemayel sont clairement désignés.

C'est Bechir en personne, sans en référer à son père, qui a commandité la tuerie et envoyé chez Tony Frangié l'un de ses hommes de main, Samir Geagea. Un phalangiste, membre des Forces libanaises, qui prendra aussi une part active aux tueries de Sabra et Chatila et assassinera un autre chef chrétien, Dany Chamoun.

Malgré le cycle de représailles entamé par les Frangié, Bechir Gemayel doit consolider son pouvoir sur les Forces libanaises. Pour ce faire, il prouve qu'il est prêt à affronter les forces syriennes de la Force arabe de dissuasion les armes à la main, espérant sans doute que cette provocation obligera Damas à réagir.

Sans doute attend-il secrètement qu'Israël vienne au secours des chrétiens. Mais il n'en est rien. La population chrétienne le paie chèrement.

Les Syriens effectuent des bombardements massifs en pays chrétien. C'est à ce prix que le jeune Gemayel construit son image de chef de guerre.

> **Jonathan Randall, journaliste et écrivain[1] :**
>
> *« Benjamin des six enfants Gemayel, Bechir reçut une éducation typique de la bourgeoisie maronite chez les jésuites. D'un physique plutôt rebutant, souffrant d'acné à vingt ans largement passés, il compensait par son application ce qui lui manquait en dons naturels. Une de ses anciennes condisciples m'a confié qu'il travaillait très dur – avec une diligence qu'il sut mettre à profit quelques années plus tard. Et, malgré sa propension à la violence, il avait des côtés charmants, une sorte de gentillesse de jeune chiot, un empressement à écouter autrui que l'on trouve souvent chez les jeunes gens sans expérience et peu sûrs d'eux, et un certain ébahissement devant le monde. Et puis, c'était quand même le fils de Cheikh Pierre, ce qui lui fut utile de bien des façons. Sous l'égide d'un vétéran phalangiste, Jean Nader, il allait faire ses premières armes à Achrafieh, la branche la plus prestigieuse du parti à Beyrouth. Nader me confia un jour qu'au début, son protégé s'était montré assez difficile : "Ce n'était pas un élève docile, m'expliqua-t-il. Il croyait pouvoir tout régler avec ses poings, mais, le temps aidant, il en est venu à comprendre qu'en politique, il ne suffit pas de se battre pour arriver à quelque chose. Il se battait avec la police, les gendarmes, dans la rue, avec n'importe qui ; et moi, je le sortais des guêpiers où il s'était fourré. Il était très impulsif. Il prenait des décisions immédiates, avait tendance à croire ses miliciens sur parole, sans rien vérifier. Mais ensuite, il a appris à accepter les critiques et je peux vous certifier qu'il n'a jamais tué personne de ses propres mains." »*

Bechir apparaît de plus en plus comme étant le chef militaire et politique du camp chrétien. Mais ça n'empêche pas les maronites de continuer à s'affronter. En 1979, au jour anniversaire de la mort de Tony

---

1. *Ibid.*

Frangié, le vieux Pierre Gemayel échappe de justesse à un attentat. Une voiture piégée bourrée d'explosifs saute au moment où son propre véhicule passe à sa hauteur. Deux de ses gardes du corps sont tués. Cependant le vieux chef de clan n'est que blessé.

Quelques mois plus tard, c'est Bechir lui-même qui est visé. Le procédé est le même : voiture piégée et explosion télécommandée. Sa fille Maya, son chauffeur et plusieurs membres de son escorte sont tués. Quant à Bechir, il est sain et sauf : il ne se trouvait pas dans le véhicule visé. Les assassins ont raté leur coup.

À partir de ce moment, Bechir et les autres membres de la famille redoublent de précaution et changent par exemple sans cesse de voiture lorsqu'ils se déplacent. Aussi les Frangié, dans l'impossibilité d'atteindre directement les Gemayel, s'en prennent, avec l'aide des Syriens, à leurs partisans. En l'espace de deux mois, quelque trois cent cinquante phalangistes tombent. Soit, calculent les Libanais, dix hommes pour chacune des victimes de la tuerie du palais de Tony Frangié ! La vengeance est impitoyable.

Malgré ces massacres, Bechir continue à asseoir son autorité sur le camp maronite. Mais pas seulement pour des raisons strictement politiques. L'entretien d'une milice coûte très cher. Or celle de Bechir rassemble deux mille hommes très bien équipés qui disposent même d'armes lourdes.

À l'époque, les milices, chrétiennes ou musulmanes, vivent en taxant les activités du pays et en contrôlant ce que l'on appelle des « ports privés ». Des ports gérés directement par les miliciens qui perçoivent des droits de douane sur les importations et les exportations à la place de cet État libanais qui existe si peu. En outre, ces installations privées permettent aussi de se livrer impunément à toutes sortes de trafics. À commencer par la drogue cultivée dans la prospère plaine de la Bekaa. L'armée syrienne n'en use pas autrement.

Ces activités clandestines sont donc vitales pour les milices. Bechir Gemayel est bien décidé à rafler la plus grosse part du gâteau et à éliminer les concurrents. Surtout les Tigres, la milice de Camille Chamoun, chef du Parti national libanais.

En juillet 1980, les phalangistes passent à l'action et attaquent les casernements des Tigres, leurs bureaux et les installations portuaires qu'ils contrôlent. Encore une fois, les hommes de Bechir, dont certains semblent drogués, font preuve de la plus grande sauvagerie. Au cours de la bataille qui dure une journée et une partie de la nuit, ils tirent sur tout ce qui bouge. Des passants ou des dockers innocents sont eux aussi abattus.

Ce nouveau bain de sang choque profondément la population maronite. Bechir, cyniquement, déclare qu'il n'a fait que châtier une milice qui se livrait au trafic de drogue. Il se serait conduit en justicier. D'ailleurs, afin de bien montrer l'aspect moralisateur de son action, il ferme les cinq ports des Tigres. Pour les rouvrir à son profit trois semaines plus tard. En tout cas, après ce sanglant assaut, Chamoun fait profil bas. Seul son fils, Dany, assassiné plus tard par Geagea, le tueur des Gemayel, proclame, avant de choisir l'exil, que Bechir est un fasciste !

Quoi qu'il en soit, la population chrétienne, un instant horrifiée par cette violence, n'en a guère voulu à Bechir. Le jeune Gemayel fait régner l'ordre dans leur petite société. Par ailleurs ces maronites ont incontestablement besoin d'un héros, d'un personnage susceptible d'incarner leur communauté. Bechir est le premier dirigeant chrétien qui correspond à cette image. Un jeune chef protecteur qui les entretient dans l'idée qu'ils doivent se débarrasser de la part arabe qu'ils ont en eux.

Populaire dans son camp, ce leader chrétien qui se dresse contre les Arabes plaît aussi en Occident : aux États-Unis, où il existe un lobby libanais très actif, mais aussi en France et en Israël, Bechir devient un héros du monde libre ! Les violences de sa milice sont passées sous silence et l'on voit déjà en lui le futur président de la République.

Sur le terrain, à part Beyrouth où des incidents sporadiques éclatent entre les deux camps, il existe deux points chauds. Au Liban-Sud, la tension n'est jamais retombée, malgré la présence de la Finul. Les Israéliens mènent plusieurs raids aériens très meurtriers sur les positions palestiniennes. L'OLP riposte en bombardant le nord d'Israël. La situation est d'autant plus tendue que le commandant Haddad a proclamé l'indépendance du petit territoire qu'il contrôle sous l'aile protectrice de Tsahal.

L'autre foyer de violence se trouve à Zahlé, une ville chrétienne, au débouché de la plaine de la Bekaa. Les Syriens veulent s'en rendre maîtres. Bombardements, opérations héliportées, la guerre y fait rage et donne même lieu à une confrontation aérienne directe entre Israéliens et Syriens. En même temps, on observe une intense activité diplomatique. Américains et Français, qui craignent qu'Israël ne passe à l'action, essaient de s'entremettre. La Syrie a en effet installé des batteries de missiles dans la plaine de la Bekaa. À Tel-Aviv, on estime que ces armes représentent une menace directe pour Israël.

L'escalade est réelle. Au milieu de l'année 1981, l'aviation israélienne lance plusieurs violentes attaques aériennes sur le territoire libanais. Sont visés des camps palestiniens. Même Beyrouth-Ouest est touché. En représailles, l'OLP bombarde les localités israéliennes de Galilée. Pourtant, les efforts diplomatiques portent enfin leurs fruits. L'envoyé spécial du président Reagan, Philippe Habib, obtient un cessez-le-feu en juillet 1981.

Le mois suivant, c'est Claude Cheysson, le ministre français des Affaires étrangères qui arrive au Liban. Il rencontre les dirigeants libanais mais aussi Arafat. C'est la première fois qu'un homme politique français de ce rang rencontre officiellement le chef de l'OLP. Mais une semaine plus tard, notre ambassadeur, Louis Delamare, est assassiné.

Sur l'identité des commanditaires, on a alors l'embarras du choix. Les Syriens n'avaient nulle envie que les Français viennent mettre leur grain de sel au Liban, leur chasse gardée. Mais on pouvait aussi penser aux Iraniens qui nous reprochaient de vendre des armes à l'Irak et de donner asile à leurs opposants. Enfin, la rencontre Cheysson-Arafat n'a guère été appréciée par les autorités israéliennes. Seule certitude, les tueurs ont bénéficié de complicités syriennes : Arafat lui-même en a fourni la preuve au gouvernement français en donnant des noms. Ce qui n'exonère pas Israël : au Mossad, il y avait des spécialistes des coups tordus.

Le début de l'année 1982 marque un tournant dans le dossier libanais. Les Israéliens sont de plus en plus décidés à intervenir au Liban pour en chasser l'OLP. Mais ils ont besoin d'un allié sur place. Ils le trouvent tout naturellement dans le camp chrétien.

Dès le mois de janvier, le Premier ministre, Menahem Begin et le ministre de la Défense, Ariel Sharon, rencontrent Bechir Gemayel. Mais les deux leaders israéliens sont-ils sur la même ligne ?

Jean-Michel Staebler[1] :

« Ce qui est certain, c'est qu'Ariel Sharon envisage très sérieusement une opération d'envergure au Liban même si les services secrets israéliens qui ont noyauté les forces maronites et se sont infiltrés dans la mouvance palestinienne, y compris dans le proche entourage de Yasser Arafat, n'y sont guère favorables. De là à affirmer que Sharon ait délibérément trompé le Premier ministre et le cabinet, il y a un pas. Certes, les responsables politiques, depuis l'affaire d'Osirak (il s'agit du bombardement de la centrale nucléaire irakienne), sont très divisés quant à ces actions préventives, mais on voit mal Ariel Sharon réussir à cacher son projet au gouvernement dans son ensemble alors qu'une telle opération exige des préparatifs politiques, diplomatiques et militaires qui ne peuvent passer inaperçus.

D'abord, à partir de l'armistice du 24 juillet 1981, Tsahal lancera coup de boutoir sur coup de boutoir sur les forces palestiniennes au Liban, celles-ci averties d'une opération israélienne, sans en connaître l'ampleur, se limitant à riposter par quelques tirs de katiouchas sur le nord de la Galilée. Jérusalem justifiera ce harcèlement en présentant les Palestiniens comme des terroristes et non comme des résistants cherchant à recouvrer leur patrie. Il fallait ensuite se ménager les bonnes grâces de l'allié américain et on voit mal comment Begin aurait pu ignorer la bienveillance de William Casey, le directeur de la CIA, ou celle du secrétaire d'État Haig parfaitement au courant de la position radicale de Sharon. »

Cette première rencontre entre dirigeants de l'État hébreu et chefs maronites est suivie de beaucoup d'autres. Sharon en personne se rend même à Beyrouth pour rencontrer les Gemayel.

---

1. Voir site Internet « Med Intelligence ».

Le ministre israélien de la Défense désire que les Forces libanaises jouent un rôle actif. Non pas que Tsahal ne soit pas capable d'agir seule. Mais Sharon veut « mouiller » les maronites et justifier son invasion du Liban en faisant croire qu'il vient soutenir les chrétiens. Alors que son unique objectif est la destruction de l'infrastructure politique et militaire de l'OLP.

Les maronites répondent positivement : ils tiennent absolument à ce que Tsahal vienne faire le ménage au Liban. Toutefois, les Israéliens ont besoin d'un prétexte. Le terroriste Abou Nidal le leur fournit très opportunément en blessant grièvement leur ambassadeur à Londres. Abou Nidal qui a souvent joué un jeu trouble avec Israël[1].

Dès le lendemain, début juin 1982, l'opération *Paix en Galilée* est lancée. En principe, il s'agit d'assurer la sécurité des localités situées au nord d'Israël en occupant une bande de quarante kilomètres au sud du Liban. Mais Sharon, qui veut briser l'OLP, a prévu dès le début qu'il ne s'en tiendrait pas à la réalisation de cet objectif.

L'offensive commence par des bombardements très intenses sur des villages du Sud. Puis cent mille soldats envahissent le Liban, bousculant au passage les contingents de la Finul. À Tyr, à Saïda, à Khaldé, la résistance est farouche. Mais le rouleau compresseur de Tsahal emporte tout. Une semaine seulement après le début des opérations, les Israéliens commencent le siège de Beyrouth-Ouest, c'est-à-dire les quartiers musulmans où l'OLP s'est installée et s'est fortement implantée.

Les Palestiniens s'attendaient à être attaqués. Ils ont donc creusé des souterrains, édifié des abris et accumulé des stocks de munitions. Mais les bombardements dévastateurs de l'aviation israélienne finissent par avoir raison de leur résistance. Après dix semaines de siège, les fedayin quittent le Liban en bon ordre et en héros sous la protection d'une force internationale composée de soldats américains, français et italiens. C'est une sorte de reconnaissance par la communauté internationale. Ainsi, paradoxalement, l'OLP accroît son prestige grâce à Sharon. Sharon qui avait estimé que, dès le début de son offensive, les fedayin fuiraient comme des lapins.

---

1. Voir chapitre I.

Autre déconvenue pour le ministre israélien de la Défense, l'attitude des chrétiens. Les maronites espéraient que, lors de leur offensive au Liban, les Israéliens auraient chassé les Syriens. Mais Washington veille et n'a nulle envie de voir éclater une guerre israélo-syrienne qui pourrait voir s'embraser toute la région. Par conséquent, sur injonction américaine, Tsahal s'arrête au bord de la plaine de la Bekaa. Est-ce l'effet de cette déception ? Les Forces libanaises ne se sont pas jointes au combat. Or Sharon espérait bien que les miliciens de Gemayel feraient le sale boulot, le plus meurtrier, c'est-à-dire qu'ils entreraient dans Beyrouth-Ouest pour chasser les Palestiniens. Mais Bechir s'y est refusé. Et il avait une bonne raison pour cela.

L'élection présidentielle est en effet prévue pour la fin du mois d'août. Si Gemayel avait lancé ses troupes contre les Palestiniens, il ne fait nul doute que les voix des députés musulmans lui auraient manqué.

Il fait donc la sourde oreille. Et ça lui réussit. Certes, les députés sunnites boycottent l'élection mais ils ne votent pas contre lui. Fin août 1982, il est élu président de la République libanaise. Il apparaît bientôt aux Libanais, chrétiens ou musulmans, que Bechir est l'homme qu'il leur faut. Un président qui prêche la réconciliation entre les factions et qui est adepte d'un pouvoir fort susceptible d'en finir enfin avec les divisions du pays. Son élection est donc un véritable exploit pour ce représentant de la droite chrétienne la plus dure.

Pendant les trois petites semaines où il exerce le pouvoir, Gemayel jouit d'une extrême popularité. Les Libanais feignent d'oublier qu'il doit son accession à la présidence à l'opération *Paix en Galilée*. Il se paie même le luxe de résister aux demandes pressantes d'Israël qui veut absolument signer une paix séparée avec le Liban. Il peut d'autant plus s'obstiner dans ce refus qu'il sait parfaitement que les États-Unis le soutiennent : Washington veut en finir au plus vite et obtenir le retrait des troupes israéliennes du Liban.

D'autre part, les Américains savent que si Gemayel signe cette paix séparée, le Liban sera mis au ban de la communauté arabe. Or, le pays, ruiné, a besoin de l'aide arabe pour la reconstruction, et les États-Unis, qui accordent déjà des aides financières considérables à l'Égypte et à Israël, n'ont pas envie de mettre une nouvelle fois la main au porte-monnaie.

Gemayel est donc soumis à une sorte de chantage de la part des Israéliens : tant que vous ne signez pas ce traité de paix, nos troupes restent au Liban. Mais un événement change brutalement la donne. À la mi-septembre, Bechir Gemayel meurt au cours d'un attentat qui détruit entièrement le QG des phalangistes.

Qui a frappé le président libanais ? Une nouvelle fois, on peut s'interroger sur l'identité des commanditaires tant ils peuvent être nombreux. Il est d'abord tentant de penser aux Syriens à cause de la connivence du clan Gemayel avec Israël. Mais l'OLP pouvait être aussi soupçonnée pour la même raison. Et même les Israéliens à qui il refusait la signature de ce traité de paix séparée.

Enfin, il y a le clan Frangié qui lui vouait toujours une haine farouche. Mais on ne peut pas exclure l'action d'un rival de Bechir au sein des Forces libanaises. Un homme tel qu'Hobeïka[1], par exemple. Principal garde du corps de Gemayel et donc chargé de sa sécurité, lui et son unité spéciale étaient absents ce jour-là. Et il est intéressant de noter que ce Hobeïka, après avoir été résolument pro-israélien, ne tarde pas à tourner casaque et à se rapprocher de Damas après la mort de Bechir.

Les Syriens figurent donc au premier rang des suspects. D'autant que l'un des hommes responsables de la préparation matérielle de l'attentat a été retrouvé. Un certain Chartouny, membre du PPS, le Parti populaire syrien, une faction chrétienne opposée aux phalangistes. Le coup semble donc venir de Damas, vraisemblablement avec la complicité d'Hobeïka. Cependant ce dernier ne parlera jamais. Il meurt dans un attentat en 2002.

Quoi qu'il en soit, la mort de Bechir Gemayel entraîne de terribles conséquences : le carnage des camps de Sabra et Chatila.

Deux jours après l'assassinat du leader maronite et contrairement aux promesses faites au négociateur américain Philippe Habib, Sharon, profitant de l'émotion suscitée par la disparition de Bechir, entre dans

---

1. Voir chapitre VIII.

Beyrouth-Ouest. Son objectif est clairement Sabra et Chatila où, prétend-il, se cachent des terroristes. Mais comme il ne veut pas que les soldats israéliens se salissent les mains – même si certains ne sont peut-être pas innocents –, il lâche dans les deux camps palestiniens des miliciens phalangistes. Des hommes aveuglés par la haine à cause de la mort récente de Gemayel, qui se vengent de façon atroce sur les civils palestiniens. Hommes, femmes, enfants sont massacrés. Quant aux survivants, ils sont remis aux Israéliens aux fins d'interrogatoire.

La responsabilité de Sharon est donc écrasante. Non seulement il a ouvert les camps aux tueurs, mais il n'a rien fait pour empêcher les tueries alors que les soldats israéliens savaient pertinemment ce qui se passait et observaient même le massacre. Toutefois le Liban est loin d'en avoir fini avec la violence, malgré la rapide élection d'Amine, le frère de Bechir, à la présidence de la République.

VII

Liban (3) : le chaos

On croyait avoir vu le pire. Déjà sept ans de guerre civile, et des dizaines de milliers de morts. En 1982, le petit Liban est en lambeaux et sa capitale, Beyrouth, n'est plus qu'un champ de ruines. Deux puissances étrangères, Israël et la Syrie, occupent de larges pans de son territoire (presque 80%), et son armée, divisée entre chrétiens et musulmans, est réduite à l'impuissance, tandis que ses autorités politiques sont dans l'impossibilité de gouverner.

Pourtant la rapide élection d'Amine Gemayel représente un espoir. Lui aussi, comme son défunt frère, prêche la pacification des esprits et reçoit non seulement le soutien des principaux seigneurs de la guerre libanais mais également celui d'une partie de la communauté internationale qui accepte d'envoyer au Liban une force d'interposition composée de soldats américains, français, italiens et britanniques.

Le mandat d'Amine Gemayel commence donc sous les meilleurs auspices. On voit même des Libanais exilés à cause de la guerre revenir au pays. Et à Beyrouth même, des passages sont ouverts entre l'Est et l'Ouest.

Les États-Unis semblent décidés à s'impliquer en participant financièrement à la reconstruction du pays. Mais de nombreuses difficultés demeurent, à commencer par l'occupation israélienne. Encore une fois, Washington pèse de tout son poids. Au mois de mai 1983, Israéliens et Libanais parviennent à un accord : il est mis fin à l'état de guerre et, en échange de l'évacuation de l'armée israélienne, Beyrouth accepte l'instauration d'une zone de sécurité au Sud-Liban. C'est-à-dire une amputation *de facto* du territoire libanais. En outre, une clause secrète conditionne le retrait israélien à celui des troupes syriennes et palestiniennes. Quoi qu'il en soit, cette négociation bilatérale provoque la fureur de la Syrie. Dès le lendemain, une pluie d'obus s'abat sur Beyrouth-Est et le réduit chrétien.

Appelés autrefois par le président chrétien Soleiman Frangié, les Syriens n'ont pas l'intention de bouger. Le président Hafez Al-Assad accuse même le gouvernement libanais d'être subordonné à l'ennemi sioniste. À vrai dire, les Syriens ne sont pas les seuls à dénoncer cet accord. Druzes, chiites et Palestiniens sont sur la même ligne, dénoncent cette atteinte à la souveraineté libanaise et accusent Gemayel d'être manipulé par les extrémistes chrétiens.

Israël a définitivement renoncé au rêve de Sharon : la création d'un état maronite allié. En fait, l'État hébreu est surtout préoccupé par la situation qui prévaut dans la zone de sécurité au Sud-Liban, contrôlée en principe par l'armée du commandant Haddad, leur allié et protégé. Une résistance y est née, initiée à la fois par des Palestiniens, des chiites du mouvement Amal et des nouveaux venus, les miliciens du Hezbollah, également chiites mais téléguidés par l'Iran.

Non sans arrière-pensées, Israël décide soudain d'évacuer la montagne du Chouf, fief des Druzes. En remettant le contrôle de la région à ces mêmes Druzes au lieu de la confier à l'armée libanaise, les Israéliens savent très bien ce qu'il adviendra : un conflit sanglant entre Druzes et chrétiens. La « guerre de la montagne », comme on l'a appelée. Dès le départ de Tsahal, l'armée épaulée par les Forces libanaises, essentiellement composée de phalangistes, se lance à l'assaut du Chouf. Non seulement les Druzes résistent mais ils s'emparent de plusieurs villages chrétiens de la montagne. Cette guerre confessionnelle provoque la mort de plusieurs centaines de civils et combattants et complique encore un peu plus l'imbroglio libanais.

Du côté druze, on a reçu le soutien des Palestiniens mais aussi des Syriens et même, discrètement, des Israéliens. Visiblement, ce que cherchent avant tout ces derniers, c'est la déstabilisation du pays. Car ils en veulent à Amine Gemayel qui n'a toujours pas ratifié leur accord parce qu'il ne veut pas, ou ne peut pas, obtenir le retrait parallèle des troupes syriennes.

En laissant face à face chrétiens et Druzes, Israël entend donc adresser un message à Gemayel et menace de renouveler cette opération dans le sud du pays. S'ils retirent leurs troupes, des villages chrétiens se trouveront confrontés aux milices islamistes.

La « guerre de la montagne » entre Druzes et chrétiens obéit aussi à des considérations internationales. Au Kremlin, on n'a guère apprécié la mise en place d'une force d'interposition occidentale. Il est donc tentant d'essayer de prendre une revanche en équipant militairement l'allié syrien et en le poussant à intervenir dans le Chouf. Cette internationalisation de la « guerre de la montagne » est avérée lorsque les chrétiens en difficulté reçoivent l'aide de l'aviation et de la marine américaines qui bombardent les positions Druzes et syriennes. C'est excessivement grave : en principe la force multinationale doit se garder de prendre parti.

Ce n'est donc pas par hasard si quelques jours plus tard, deux camions-suicides explosent en provoquant un carnage dans les quartiers généraux américain et français. Ces terribles attentats ont été commandités par les Syriens, avec l'aide des Iraniens. Les Syriens parce qu'ils sont hostiles à la présence de la force multinationale qui entrave leurs ambitions au Liban. Et les Iraniens parce qu'ils veulent punir le Grand et le Petit Satan, c'est-à-dire les États-Unis et la France.

En même temps, de violents incidents opposent les chiites de la milice Amal à l'armée libanaise, l'enjeu étant le contrôle de Beyrouth-Ouest. Et, comme si ce n'était pas assez compliqué, le camp chrétien se fissure : le clan de Soleiman Frangié, l'ennemi des Gemayel, se rallie ouvertement à Damas. Hafez Al-Assad marque ainsi un nouveau point et entend en profiter pour asseoir définitivement son autorité sur l'OLP de Yasser Arafat.

Le leader palestinien, de retour au Liban, a reconstitué une partie de ses forces au nord, à Tripoli, au nord de Beyrouth. Hafez Al-Assad, le « Bismarck syrien » comme l'appelle Kissinger, suscite la création d'un mouvement palestinien dissident et, avec l'aide de ces rebelles, lance ses troupes contre celles d'Arafat. À l'issue d'un siège qui dure trois mois, le leader palestinien et ses quatre mille fidèles doivent quitter une fois de plus le Liban, sous la protection des forces françaises.

Dès lors, les retournements d'alliance vont se multiplier. En réalité, ce sont les États de la région qui se font la guerre par milices interposées. La Syrie, l'Iran et même l'Irak. Et bien sûr Israël qui met de l'huile sur le feu. Quant à la richissime Arabie saoudite, elle a beau financer les uns et les autres, elle peine à rétablir la paix. Pourtant, fin 1983 puis en mars 1984, les Saoudiens obtiennent que les principales factions se réunissent en Suisse autour du président Gemayel.

Certes, on assiste à une sorte de réconciliation. Toutefois c'est une réconciliation de façade, même si un gouvernement d'union nationale réunit provisoirement les leaders des principaux mouvements. Le point d'achoppement demeure cet accord bilatéral négocié avec Israël. Un accord que Gemayel n'a toujours pas ratifié parce que l'opposition, essentiellement musulmane et progressiste, s'y oppose. On ne peut pas, disent ses dirigeants, mettre sur un pied d'égalité l'ennemi israélien et le frère syrien. Un parent encombrant qui est plus que jamais maître de la situation. Tout se passe à Damas. Et les leaders des différentes factions font le voyage à tour de rôle pour y recevoir ordres ou conseils.

Ce qui caractérise par ailleurs la crise libanaise en ce milieu des années 1980, c'est la montée en puissance de la communauté chiite représentée par le mouvement Amal et le Hezbollah. Deux organisations qui seront bientôt rivales, la première étant soutenue par les Syriens et la deuxième par l'Iran.

Les chiites forment maintenant la communauté la plus importante du pays même si officiellement on se réfère toujours au recensement de 1932 qui avait formalisé la primauté des maronites.

D'autre part, les chrétiens, déjà divisés entre le clan Frangié et le clan Gemayel, connaissent une nouvelle scission au sein même du camp phalangiste. Une sorte de putsch perpétré par deux jeunes ambitieux, Samir Geagea et Elie Hobeïka, deux chefs de guerre qui ont participé aux massacres de Sabra et Chatila. Prenant rapidement un ascendant militaire dans le camp chrétien, ils se tournent tous les deux vers Damas.

C'est aussi le moment où l'on assiste à une véritable campagne d'attentats et de prise d'otages d'Occidentaux, des Américains mais aussi des Français. Il ne fait nul doute que l'Iran se trouve derrière ces actions terroristes. L'Iran, engagé dans une terrible guerre contre l'Irak, et qui entend ainsi peser sur les Occidentaux qui soutiennent alors l'Irak.

Ces actions terroristes n'ont donc rien à voir avec la crise libanaise, d'autant que, dès le début de 1984, la force multinationale a plié bagage.

Enfin un nouveau personnage fait son entrée dans le jeu libanais : Rafic Hariri, un richissime homme d'affaires. Au cours d'une rencontre secrète en France avec l'un des deux hommes forts des phalangistes, Elie Hobeïka, c'est lui qui persuade ce dernier que la paix au Liban ne pourra se faire qu'au prix d'une entente avec la Syrie. Prosyrien ou tout simplement réaliste, Rafic Hariri devient peu à peu incontournable.

Mouna Naïm, correspondante du *Monde* :

« *La chance commence à lui sourire lorsque, après quelques années passées au poste d'expert-comptable d'une entreprise d'agrumes, il décide, en 1967, comme de nombreux compatriotes et d'autres ressortissants arabes, de tenter d'aller faire fortune en Arabie saoudite, pays par excellence de l'or noir. Il fait mouche, dans un royaume où tout est à construire et où ce ne sont pas les moyens qui manquent. Mais son coup de maître aura été de relever un défi posé par le prince héritier saoudien — et futur roi — Fahd, qui lui demande, en 1980, de construire en un temps record un centre de conférences pour accueillir un sommet de l'Organisation de la conférence islamique (OCI). Sa fortune est faite et ira désormais grandissant.*

Ses liens avec la famille royale, en particulier avec l'un des fils du roi Fahd, et ses moyens financiers lui donnent les clés d'une ascension rapide. Fait rarissime, il est même naturalisé saoudien. Bien que n'ayant pas fait d'études supérieures, Rafic Hariri, tout en maintenant ses activités dans le royaume wahhabite, aura le flair et l'intelligence de diversifier par la suite ses sources de revenus. Lorsque, en 1978, il revient dans un Liban en guerre depuis trois ans, il ne prend position pour aucun des clans en conflit et maintient le contact avec tous les protagonistes. »

Les divisions entre factions, chefs phalangistes contre Gemayel, Amal contre Hezbollah, ou encore Palestiniens et Druzes contre Amal, font le jeu de la Syrie qui souffle sur les braises en attendant le moment où elle imposera la *pax syriana* à la demande même des belligérants. Une première tentative se produit à la fin 1985. Hafez Al-Assad rassemble sous sa houlette le chrétien Elie Hobeïka, le Druze Walid Joumblatt et le chiite Nabih Berri. Un accord est signé par ces trois chefs et contre-signé par le vice-président syrien, Abdel-Halim Kaddham. Il prévoit des réformes constitutionnelles, la fin du confessionnalisme et surtout l'établissement de relations privilégiées entre la Syrie et le Liban. C'est-à-dire une sorte de mise sous tutelle de ce dernier. Enfin, il est décidé à mettre au pas les Palestiniens, toujours accusés de vouloir former un État dans l'État.

Il faut remarquer que Gemayel, qui est tout de même président de la République, n'a pas été consulté. Et quand, à son tour, au début 1986, il se rend à Damas, il refuse d'entériner l'accord. Un accord qui, en tout état de cause, devient inapplicable : un conflit éclate entre les deux chefs militaires chrétiens, Hobeïka et Geagea, également brutaux et domi-nateurs. Les partisans des deux hommes s'affrontent les armes à la main. Hobeïka, pris au dépourvu, doit fuir à Damas, tandis que son rival, devenu brusquement antisyrien, trouve des échos chez les chrétiens.

Simultanément, le poison de la division gagne tous les camps. Les alliés d'hier deviennent soudain des ennemis. Hafez Al-Assad, n'ayant pas réussi à imposer sa paix, alimente les ferments de haine en espé-rant qu'un jour on reviendra vers lui pour demander son intercession.

Les miliciens chiites disputent par exemple aux Palestiniens le contrôle des camps du sud de Beyrouth. Cette guerre des camps dure de très longs mois. Trente mois même pour le camp de Bourj al-Barajneh. Le bilan humain est catastrophique.

Profitant de ce chaos généralisé, Damas pousse ses pions. Les troupes syriennes s'interposent entre les miliciens druzes et les chiites d'Amal et prennent position autour des camps palestiniens. Mais l'autre camp chiite, le Hezbollah, résiste. Des heurts sanglants opposent ses miliciens aux forces syriennes. Par procuration, c'est donc Téhéran qui affronte Damas.

Au Sud-Liban, les Israéliens se sont repliés dans leur zone de sécu-rité. Un confinement qui n'est pas seulement tactique mais qui a été exigé par l'opinion publique israélienne de plus en plus critique sur l'aventure libanaise de son armée. Le Hezbollah profite aussitôt de ce retrait pour s'imposer et éliminer progressivement ses rivaux du mouvement Amal. Désormais ce sont ces miliciens pro-iraniens qui harcèlent les Israéliens et leurs alliés de l'Armée du Liban-Sud.

Au milieu de ce désordre organisé, le président Gemayel se démène tant bien que mal et quémande l'aide internationale. Tandis que l'Assemblée législative formée de députés élus en 1972 parvient parfois à se réunir, les démissions de Premiers ministres ne cessent de se succéder.

En 1987, le Premier ministre nommé par Gemayel est alors Rachid Karamé. Ce politicien sunnite a déjà exercé à plusieurs reprises cette fonction. Il est peut-être le dernier espoir du Liban, car son habileté peut concourir à amorcer une réconciliation entre les factions. Il envisage même de reconstituer l'armée, déchirée depuis si longtemps. Mais c'est une tâche quasi-impossible. En désespoir de cause, Karamé fait appel à Damas. Hafez Al-Assad s'empresse de lui donner satisfaction, alors que les forces syriennes s'interposent dans Beyrouth-Ouest.

L'habileté manœuvrière du Premier ministre ne suffit pas à ramener le calme. Aussi, Karamé finit-il par jeter l'éponge début mai. Gemayel lui demande d'expédier les affaires courantes. Mais trois semaines plus tard, Karamé, que l'on presse de revenir sur sa démission, meurt dans un attentat commandité par Samir Geagea[1], le chef des phalangistes. Ce dernier joue donc la politique du pire. Peut-être espère-t-il, comme Bechir Gemayel autrefois, apparaître comme l'homme fort, capable de s'imposer et de tenir la dragée haute au président Hafez Al-Assad.

Là n'est pas le plus étonnant. Dans ce pays déchiré où l'insécurité est permanente, et qui est largement occupé par des forces étrangères, la fièvre gagne tous les milieux politiques à l'occasion de la future élection présidentielle !

Amine Gemayel[2] :
  « *Le gouvernement, détenteur du pouvoir exécutif et pièce maîtresse de l'action politique, est réduit à l'impuissance. Victime de tous les éloi-*

---

1. Geagea sera plus tard condamné à la prison à vie pour avoir commandité cet assassinat.
2. *L'offense et le Pardon*, Gallimard, 1988.

> *gnements et divisions du Liban, le gouvernement a cessé de se réunir. Les concertations téléphoniques, les dialogues par personnes interposées, les envois de messages se poursuivent, tandis que la pérennité de la présidence de la République permet, certes, d'éviter une paralysie totale. Mais tous les procédés utilisés, si ingénieux soient-ils, ne peuvent remplacer l'exercice normal du pouvoir. L'armée, quant à elle, a toujours été l'un de mes soucis majeurs, puisque notre souveraineté ne peut être rétablie qu'au prix de la renaissance de nos forces militaires. Je me suis attelé à cette tâche durant les deux premières années de mon mandat, avant que les forces centripètes à l'œuvre ne viennent faire éclater l'armée en différentes brigades. Il n'y a rien de plus tragique en effet, pour un État et pour son chef, que de manquer de la force militaire nécessaire pour faire régner l'ordre, imposer la loi, et sauvegarder l'intégrité du territoire national. Que des brigades confessionnelles soient les seules à tenir lieu d'armée nationale, voilà l'aberration, voilà le drame ! »*

Bien que la charge de président de la République soit particulièrement exposée, ils sont nombreux à faire acte de candidature. Parmi eux, il y a le vieux Soleiman Frangié, mais aussi un exilé, Raymond Eddé, très antisyrien et farouche partisan de l'indépendance de son pays. Le général Michel Aoun, un chrétien, est aussi sur les rangs.

Les candidats doivent recevoir l'intronisation de la Syrie. Mais aussi des États-Unis. Les Américains, après s'être longtemps désengagés, s'intéressent à nouveau au Liban et continuent à considérer que la Syrie intervient plutôt positivement au Liban. Certes, Damas a longtemps flirté avec Moscou. Mais à la Maison-Blanche, on estime qu'il est tout à fait envisageable que Hafez Al-Assad se rapproche de l'Ouest. Surtout à un moment – la fin des années 1980 – où le camp de l'Est commence à flageoler.

Aucun des trois candidats à la présidence ne trouve grâce auprès des Américains et des Syriens. Frangié, parce que c'est un ennemi du clan Gemayel, Eddé parce qu'il est hostile à Damas et Aoun parce qu'on soupçonne ce général d'ambitions bonapartistes.

À la fin de l'année 1988, le président sortant, Gemayel, doit prendre une décision. Pour diriger au moins provisoirement le pays, il nomme un gouvernement militaire composé de trois chrétiens et de trois musulmans, sous l'autorité du général Aoun. Mais les musulmans se désistent aussitôt tandis que, sous la pression syrienne, un autre gouvernement est formé par le Premier ministre sortant, le sunnite Selim Hoss.

Il n'y a donc plus de président de la République mais deux gouvernements !

Le Liban, malgré la guerre, malgré l'occupation étrangère, n'a encore jamais connu une telle crise institutionnelle.

Aoun, qui estime être légitime, ne perd pas de temps et passe à l'offensive. Avec ce qu'il reste d'armée libanaise, il s'attaque au nerf de la guerre, ces ports privés qui permettent à toutes les milices de percevoir des droits de douane et surtout de se livrer au très florissant trafic de drogue.

Il entend ainsi asphyxier les partis en les privant de ressources. Et, bien qu'il soit lui-même maronite, il n'hésite pas à s'en prendre aux Forces libanaises de Geagea qui multiplient les exactions. Une action qui lui vaut une sympathie certaine chez les musulmans de Beyrouth-Ouest.

Damas, bien entendu, ne reconnaît pas le gouvernement d'Aoun et riposte à sa façon en bombardant les positions de l'armée libanaise. Le général réplique en déclarant qu'il commence la guerre de libération, c'est-à-dire la guerre contre l'occupation syrienne. En même temps, il en appelle à la communauté internationale. Mais il n'est guère entendu : l'ONU considère qu'il s'agit d'un conflit purement intérieur. Quant à François Mitterrand, s'il répond en lançant un appel en faveur du Liban, il se garde bien d'agir. Seul, Saddam Hussein réagit favorablement en promettant son aide. Mais c'est uniquement parce qu'il est hostile à Hafez Al-Assad.

La situation militaire du général Aoun, retranché dans le palais présidentiel de Baabda, devient de plus en plus difficile. Les bombardements syriens sont incessants. Après six mois de siège, il est contraint de demander un cessez-le-feu. C'est alors que la diplomatie arabe, impuissante jusque-là, fait enfin la preuve de son efficacité.

Un comité tripartite, Arabie saoudite, Maroc, Tunisie, multiplie les contacts entre les différentes factions. Et Rafic Hariri émerge au grand jour. Il se pose en conciliateur. Son entregent lui vaudra d'occuper plus tard plusieurs fois le poste de Premier ministre. La France aussi se manifeste et envoie une flotte importante au large des côtes libanaises. La paix semble à portée de main. On s'achemine vers la conférence de Taëf, qui se tient en Arabie saoudite en septembre 1989. Sous le patronage des Saoudiens, cinquante-huit des soixante-deux députés élus en 1972 parviennent miraculeusement à se réunir. En l'espace de trois semaines, ces députés, en dépit du fait qu'ils ne sont plus très représentatifs, parviennent à la rédaction d'un document d'entente nationale.

Le premier principe établi par ces accords proclame l'égalité entre musulmans et chrétiens, et l'abandon progressif du confessionnalisme politique. Outre un certain nombre de réformes, ce texte annonce la dissolution des milices. Enfin, et il s'agit de l'article le plus important, la souveraineté de l'État libanais est reconnue sur l'ensemble de son territoire. Les forces étrangères israélienne et syrienne doivent donc plier bagage. Mais la rédaction est ambiguë. Si la fin de l'occupation israélienne est souhaitée par tous les députés, ceux-ci ont mis l'accent sur les relations fraternelles privilégiées qui devraient s'établir entre Damas et Beyrouth. D'ailleurs il est prévu que la Syrie aidera les forces libanaises à restaurer l'autorité de l'État.

Bref, il est permis aux troupes syriennes de demeurer au Liban. Au bout de deux ans, elles se regrouperont dans la plaine de la Bekaa. Et leur départ effectif fera l'objet de discussions ultérieures.

Cette ambiguïté est inacceptable pour le général Aoun qui considère que Taëf consacre l'emprise syrienne sur le Liban et la victoire de Hafez Al-Assad après quatorze ans de guerre.

Aoun conteste donc les accords de Taëf, annonce la dissolution de la Chambre des députés et, dans la foulée, conteste aussi l'élection présidentielle qui suit.

Un certain René Moawad est élu à la tête de l'État. Trois semaines plus tard, il est assassiné. Encore un attentat à la voiture piégée, peut-être perpétré par des partisans du général Aoun. Un autre chrétien, Elias Hraoui, lui succède aussitôt. Ce nouveau président révoque Aoun et nomme à sa place le général Lahoud, l'actuel président de la République. Mais Aoun n'accepte pas sa destitution et entame la résistance, toujours retranché dans le palais présidentiel de Baabda. Il subit d'abord les coups des milices phalangistes de Geagea. Des affrontements interchrétiens d'une extrême violence. Puis, comme Aoun résiste toujours, le gouvernement libanais se tourne vers la Syrie et lui demande secrètement de passer à l'action contre le général rebelle.

Encore une fois, Hafez Al-Assad s'empresse. Il le fait d'autant plus tranquillement qu'il a les mains libres. Ayant pris fait et cause pour la coalition dressée contre Saddam Hussein après son invasion du Koweït, il est certain que les Occidentaux n'interviendront pas contre lui au Liban.

Aoun succombe à cause de la guerre du Golfe. En octobre 1990, l'aviation syrienne bombarde le palais de Baabda. Pour épargner des vies, Aoun se rend et trouve refuge à l'ambassade de France. Il sera ensuite accueilli en France où on lui demandera, assez fermement, de s'abstenir de toute activité politique.

A-t-on, comme plusieurs intellectuels français l'ont prétendu, sciemment lâché le général Aoun ? Et pouvait-on agir autrement ? Paris, comme la plupart des autres capitales, a applaudi aux accords de Taëf. Car il y avait enfin un espoir de paix. Au prix, quand même, de la subordination du Liban à la Syrie. Mais sans que communautarisme et confessionnalisme aient disparu !

Élizabeth Picard, chercheuse au Centre d'études et de recherches internationales[1] :

Élizabeth Picard : « *Il faut faire la distinction entre les appartenances religieuses et le fait communautaire comme base du système politique libanais. Des sunnites, des chiites, des maronites, des Druzes, des Grecs orthodoxes, etc. siègent à la Chambre des députés comme représentants de leur communauté. Ces appellations religieuses ne signifient pas du tout qu'ils sont défenseurs de croyances qui voudraient s'éradiquer mutuellement. Elles signifient que l'on naît chiite, maronite, druze, et c'est sur cette identité que sont fondés les rapports sociaux et politiques. La guerre de religion au Liban est vraiment un masque.*

---

1. Interview dans *Télérama*.

Télérama : Chaque Libanais ne peut donc se définir que par son appartenance à telle ou telle communauté ?

Elizabeth Picard : Oui, puisque l'on ne peut pas exister en dehors d'elles. Mais l'appartenance à une communauté au Liban signifie à la fois tout et pas grand-chose. Tout, parce qu'on ne peut pas faire des affaires, on ne peut pas trouver un travail, on ne peut pas se marier, etc., sans l'aide et le contrôle de sa communauté. Mais pas grand-chose, parce que chaque personne, chaque petit groupe peut faire des choix sociaux, idéologiques, culturels différents. Dans toutes les communautés, il y a des pauvres et des riches, des gens de droite et des gens de gauche, et des affrontements.

VIII

Hobeïka, traître et massacreur

C'était en 2002 dans une ville de Beyrouth qui avait recouvré momentanément la paix et peu à peu effacé les stigmates de la guerre. Il est 9 heures 30 du matin. Un quatre-quatre aux vitres fumées pénètre dans le quartier d'Hazmieh, à la périphérie de la capitale libanaise. Soudain, alors que l'auto se porte à la hauteur d'une Mercedes garée le long du trottoir, c'est l'explosion. Énorme ! Les deux voitures sont pulvérisées et brûlent aussitôt. Les quatre passagers du quatre-quatre sont tous morts. L'un a été projeté à cinquante mètres, le corps d'un autre a atterri sur un balcon au troisième étage d'un immeuble. De toute évidence, la bombe qui se trouvait dans la Mercedes était télécommandée et elle a été actionnée à vue au passage du quatre-quatre par un homme qui se trouvait quelque part dans les immeubles de la rue.

Le personnage visé par cet attentat est rapidement identifié. Il s'appelait Elie Hobeïka. Les trois autres étaient ses gardes du corps. Ho-beïka, ancien chef des milices chrétiennes, l'homme qui a sans doute présidé aux massacres de Sabra et Chatila et qui s'était refait une virginité en entrant au gouvernement libanais. Un personnage implacable qui s'était enrichi grâce à la guerre civile, avait été mêlé à de nombreux assassinats et qui avait fini par trahir les siens en prenant le parti de la Syrie. Autant dire que beaucoup de gens pouvaient avoir de sérieuses raisons de vouloir sa mort. À commencer par certains Israéliens qui pouvaient tout craindre des révélations que Hobeïka avait promis de faire lors de sa prochaine audition par la chambre belge des mises en accusation, chargée d'instruire une plainte contre Ariel Sharon à propos des massacres de Sabra et Chatila.

Beyrouth, 1982. L'enfer[1] ! Cela fait sept ans que les différentes factions se livrent une guerre impitoyable et fratricide, attisée par les pays de la région, Syrie, Israël, Iran, Irak. Chacun ayant son champion, c'est une guerre par milices interposées.

Au gré des événements, les alliances peuvent changer. Les chrétiens, par exemple, après avoir appelé les Syriens au secours, finiront par se retourner contre eux.

Même les grandes puissances sont impliquées dans cette sanglante confrontation. Mais la vraie question, celle qui a mis le feu aux poudres, c'est la présence toujours plus importante des Palestiniens au Liban. Surtout après leur expulsion de Jordanie en 1970 à la suite de « Septembre noir ».

Peu à peu Beyrouth est devenu en quelque sorte leur capitale. L'OLP de Yasser Arafat y a installé son QG et y entretient une importante présence militaire qui remet en cause le fragile équilibre entre les diverses communautés libanaises – maronites, musulmans sunnites, druzes et chiites –, ces derniers, souvent mis à l'écart, s'estimant injustement représentés alors que leur poids démographique ne cesse de progresser.

Traditionnellement, les chefs de ces communautés entretiennent des milices armées. Seigneurs de la guerre, ils n'hésitent pas à se combattre avec férocité pour la conquête du pouvoir et les prébendes qui y sont attachées.

La présence des Palestiniens inquiète autant les chrétiens qu'Israël. Du Liban, les fedayin peuvent frapper les kibboutz situés au nord de l'État hébreu. C'est pourquoi, dès 1978, les Israéliens ont occupé le Liban-Sud afin de constituer une zone de sécurité qui devient une enclave chrétienne tenue par une armée à la solde d'Israël et commandée par le général Haddad.

La situation n'a jamais été aussi explosive au Liban qu'en 1982. Pour les forces chrétiennes, l'urgence, c'est de chasser les Palestiniens. Elles ne s'en cachent pas : Bechir Gemayel, le chef des phalangistes qui forment le gros des milices chrétiennes, l'a dit sans ambages : « Au Liban, il y a un peuple de trop ! »

---

1. Voir chapitre VII.

Presque naturellement, il s'est donc créé une alliance entre les chrétiens libanais et Israël. Pourtant, le Liban arabe est toujours officiellement en guerre contre l'État hébreu. Aussi cette alliance est-elle discrète. Mais les deux parties poursuivent le même objectif : chasser les Palestiniens et, à terme, signer un traité de paix entre leurs deux pays.

En attendant, Israël fournit des armes et des équipements militaires aux phalangistes, et son armée, Tsahal, entraîne ces miliciens, et parmi eux un certain Elie Hobeïka, dit HK. Un sobriquet symbolique : ce sont les initiales de la firme Heckler und Koch, une célèbre manufacture d'armes allemande qui fabrique des carabines et des pistolets-mitrailleurs d'excellente qualité. Hobeïka est donc un violent, un type qui adore les armes et n'hésite jamais à s'en servir.

Au physique, c'est un homme trapu, visage carré, cou de taureau et moustache à la Saddam Hussein. Né au milieu des années 1950, ce modeste employé de banque de confession maronite est presque tout de suite précipité dans le chaudron libanais, comme beaucoup de jeunes hommes de sa génération. Très tôt, il s'engage dans les milices phalangistes du cheikh chrétien, Pierre Gemayel qui, politiquement, se situait à la droite de la droite libanaise.

Bechir, le fils de Pierre, futur et éphémère président de la République, remarque le jeune Hobeïka et contribue à son ascension dans les rangs des FL, les Forces libanaises qui fédèrent les milices chrétiennes. HK a un peu plus d'une vingtaine d'années lorsqu'il est nommé chef d'une division chargée des opérations militaires spéciales.

Le Libanais participe non seulement à des manœuvres en Israël mais bientôt il est aussi chargé d'encadrer les combattants des Forces libanaises qui s'entraînent avec Tsahal. À cette occasion, il noue des relations avec les services secrets israéliens. Et c'est lui encore qui va organiser puis diriger le service de renseignement et de sécurité du parti phalangiste.

En même temps, sur le terrain, Hobeïka est très actif. Il s'est en particulier illustré, aux côtés de l'allié du moment, la Syrie, lors de l'attaque du camp palestinien de Tell-al-Zaatar. Un siège qui a fait deux mille morts. Auparavant, il a participé à des tueries de musulmans dans les rues de Beyrouth et à d'autres « nettoyages », comme on disait alors pudiquement, contre les Palestiniens du Liban-Sud.

HK n'a pas agi avec moins de férocité contre les rivaux chrétiens du clan Gemayel. Les phalangistes voulaient en effet être les maîtres du camp chrétien. Et pas seulement pour des raisons politiques. Étaient aussi en jeu les divers trafics qui permettaient aux milices d'acheter des armes et de s'enrichir. Contrôler le port de Beyrouth, par exemple, permettait de toucher des taxes sur tous les produits, licites ou pas, qui y transitaient à la place d'un gouvernement qui n'existait pratiquement plus.

Au sein du camp maronite, les premiers à subir les attaques des phalangistes sont les membres du clan Frangié. Une famille prosyrienne qui possédait sa propre milice armée et avait donné de nombreux hommes politiques au Liban.

En 1978, les hommes de Bechir Gemayel, dont Hobeïka, attaquent la résidence des Frangié dans le nord de la montagne libanaise. Tony, le fils de l'ancien président Soleiman Frangié, est tué. Mais aussi sa femme, sa fille et une trentaine de ses partisans. Un carnage !

Un an plus tard, un autre clan chrétien, celui des Chamoun, subit les coups des phalangistes. Nouvelle participation de HK et nouveau bain de sang.

Robert Hatem, dit Cobra, garde du corps d'Elie Hobeïka[1] :
« La bataille fut sanglante. Des dizaines de civils furent tués sur les plages et dans les rues. Nous avions en effet ordre de tirer sans discrimination et ce fut une véritable hécatombe dans les piscines et les chalets des complexes touristiques qui grouillaient de civils et où les Tigres s'étaient retranchés.

À Rabié Marine, toute la haine contre ceux qui avaient entravé notre route, nous avaient poignardés dans le dos et avaient tué nos camarades a jailli et s'est déversée rageusement. Nous étions devenus des zombies hébétés, programmés pour tuer ; incapables de réaliser que ces pauvres gens qu'on abattait de sang-froid étaient comme nous des chrétiens.

---

1. *Dans l'ombre d'Hobeïka… en passant par Sabra et Chatila*, Jean Picollec, 2002.

> *Certains médias ont affirmé que nous étions drogués. Mais ce n'était pas vrai. Nous avions tout simplement subi un lavage de cerveau qui avait fait de nous des marionnettes. La voix d'Elie Hobeïka dictant ses ordres vrombissait dans mes oreilles pendant les combats. J'étais, comme les autres combattants, hypnotisé. Nous n'avions pas le temps pour les états d'âme : nous jetions des innocents par les fenêtres des hôtels et nous mitraillions les baigneurs dans les piscines. »*

Entre-temps, vengeance des Frangié, Bechir réchappe d'un attentat qui a tué huit de ses proches et sa fille.

En tout cas, cette politique de terreur porte ses fruits : Bechir Gemayel devient le leader incontesté du camp maronite ! Même le vieux Camille Chamoun vient à résipiscence et reconnaît la suprématie des Gemayel. Un geste qui n'est pas tout à fait désintéressé : Bechir, généreux, lui a donné un million de dollars et concédé une part de ses profits sur un port de la côte libanaise.

Ces luttes interconfessionnelles se déroulent alors même que les chrétiens doivent mener une guerre sans merci contre l'armée syrienne, devenue l'ennemi. L'assassinat des Frangié a en effet décidé les Syriens à engager un véritable combat contre les Forces libanaises. Beyrouth-Est, leur fief, est bombardé presque quotidiennement.

Il est clair que les Israéliens ne peuvent pas accepter une mainmise militaire syrienne sur le Liban. À plusieurs reprises, ils ont montré leur impatience en bombardant Beyrouth, en détruisant quelques appareils syriens et en consolidant leur emprise sur le Liban-Sud, malgré la présence des Casques bleus de la Finul.

En 1981, premier signe que l'État hébreu envisage une intervention au Liban, son ministre des Affaires étrangères, Itzhak Shamir, déclare qu'Israël ne peut rester les bras croisés devant les massacres des chrétiens du Liban. La vérité, au-delà de l'avertissement adressé à Damas, c'est qu'Israël envisage d'en finir avec les Palestiniens installés au Liban. Il y a aussi la volonté d'installer à Beyrouth un pouvoir chrétien avec lequel il serait enfin possible de faire la paix. Mais avant d'intervenir militairement au Liban, il faut trouver un prétexte.

En avril 1982 un diplomate israélien en poste à Paris est abattu. Quelques jours après cet attentat, l'aviation israélienne bombarde des positions palestiniennes près de Beyrouth. Mais le vrai prétexte est fourni par Abou Nidal[1] qui fait assassiner l'ambassadeur israélien à Londres.

La riposte israélienne est immédiate : après un raid aérien de représailles sur des positions palestiniennes à Beyrouth, raid qui provoque deux cents morts, Tsahal lance l'opération *Paix en Galilée*.

Au départ, il n'est question que de repousser les Palestiniens à quarante kilomètres au nord de la frontière libanaise. Mais Ariel Sharon, ministre de la Défense, n'a pas l'intention d'en rester là. Il a là une occasion unique d'en finir avec les Palestiniens et leur chef, Yasser Arafat. Trois jours après le début de l'offensive, Tsahal se trouve à seulement dix kilomètres de Beyrouth.

En outrepassant les objectifs initiaux de *Paix en Galilée*, Sharon a-t-il agi en accord avec son gouvernement ?

Très peu de jours avant son entrée dans Beyrouth-Ouest, tout en démentant avoir l'intention de donner l'assaut à la capitale libanaise, il déclare : « Si j'avais été convaincu qu'il nous fallait entrer dans Beyrouth, personne au monde ne m'aurait arrêté. Démocratie ou pas, j'y serais entré même si mon gouvernement n'était pas d'accord. »

Lorsqu'il donne cette interview, tout est déjà prêt pour l'invasion de Beyrouth.

Quoi qu'il en soit, dès le 13 juin, la capitale libanaise est encerclée. Au sud et à l'ouest par les forces israéliennes et à l'est par les forces chrétiennes de Gemayel. Arafat et les siens sont pris au piège.

Le mois de juillet se passe en manœuvres diplomatiques, ponctuées de violents bombardements israéliens. L'opération *Paix en Galilée* a déjà fait vingt mille morts.

La communauté internationale réagit en décidant l'envoi à Beyrouth d'une force multinationale d'interposition, la FMI, qui compte un fort contingent français, tandis qu'on s'achemine très vite vers l'issue souhaitée par les Israéliens, c'est-à-dire l'évacuation des Palestiniens !

---

1. Voir chapitre I.

Sharon, lui, aurait voulu pénétrer immédiatement dans Beyrouth et liquider Arafat. Mais les réactions à l'étranger et son Premier ministre Begin l'en empêchent. D'autre part, une pièce de son dispositif coince : des accords avaient été passés avec le chef du camp chrétien, Bechir Gemayel. Il était prévu que les forces libanaises entreraient dans Beyrouth-Ouest dès que Tsahal serait aux portes de la ville. Ensuite, Sharon serait venu lui donner un coup de main. Et, dans les décombres, Israël aurait enfin signé un accord de paix avec le Liban.

Mais Gemayel se garde bien de donner l'assaut à Beyrouth-Ouest où se terrent les Palestiniens. Devant les signes d'impatience de Sharon, le leader maronite affirme qu'il veut d'abord se faire élire président de la République. Et il pense, non sans raison, que si ses troupes entraient dans Beyrouth-Ouest, il apparaîtrait trop ouvertement comme l'allié d'Israël et compromettrait ses chances.

C'est un argument que peut comprendre Sharon. Si Gemayel est élu par le Parlement, les Israéliens sont persuadés que la signature d'un traité de paix ne tardera pas.

Il leur faut donc attendre. Mais pas l'arme au pied.

Ammon Kapeliouk[1] :

« *Les forces palestiniennes et progressistes s'étaient entre-temps organisées et fortifiées à l'intérieur de Beyrouth-Ouest, créant ainsi un risque de pertes importantes du côté israélien en cas d'assaut. Ce n'est pourtant pas ce qui dissuadait le général Sharon. Des officiers israéliens importants ayant participé au siège de Beyrouth – et parmi eux le colonel Eli Geva, qui devait démissionner fin juillet en signe de protestation contre une éventuelle attaque sur Beyrouth-Ouest – ont raconté, depuis, que les préparatifs d'un assaut avaient bel et bien été mis au point durant le long siège, et qu'il ne manquait plus que l'ordre pour les mettre à exécution. Chaque unité avait reçu pour mission d'investir un quartier ou un bloc d'immeubles particulier, et s'était spécialement entraînée à cet effet. Selon ces mêmes officiers, Sharon pressait les politiques d'accorder le feu vert à l'opération.* »

---

1. *Enquête sur un massacre*, Le Seuil, 1982.

Dès le début du mois d'août, Sharon ordonne aux blindés israéliens de pénétrer dans Beyrouth-Ouest. La traque des Palestiniens commence aussitôt. C'est une guerre de rues, impitoyable. Une nouvelle fois, la communauté internationale, et surtout les États-Unis, intervient et impose un cessez-le-feu. Cela permet aux premiers éléments français de la force multinationale de débarquer à Beyrouth. Sous leur protection, les combattants palestiniens, Arafat en tête, peuvent quitter Beyrouth.

Une semaine plus tard, Bechir Gemayel réalise son rêve : il est élu président de la République libanaise. Immédiatement, les Israéliens lui demandent de respecter sa parole et arguent qu'il n'aurait sans doute pas été élu si Tsahal n'était pas entré au Liban. Mais Gemayel n'est pas pressé de signer ce traité de paix qu'on lui demande. Au cours d'une rencontre secrète avec Begin, Shamir et Sharon, il fait valoir que s'il signait cela entraînerait de graves conséquences pour le Liban qui se trouverait isolé au sein du monde arabe, à l'image de Sadate. Non, la situation libanaise est encore trop explosive. Bechir Gemayel explique qu'il a d'abord besoin de consolider son pouvoir.

Les Israéliens, furieux, ont l'impression d'avoir été dupés. Et ce n'est sans doute pas un hasard si, dès le lendemain, des fuites dans la presse font état de cette rencontre ultrasecrète. Une manière de faire pression sur Gemayel en le compromettant aux yeux de l'opinion arabe et des musulmans libanais !

Rapidement, les relations entre Gemayel et les Israéliens s'enveniment. Sharon menace de rester au Liban. Le leader chrétien riposte en déclarant que son objectif prioritaire est de rétablir son autorité sur tout le Liban. Quant à la paix avec Israël, si paix il doit y avoir un jour, elle viendra plus tard.

Le 14 septembre, trois semaines seulement après son élection, Bechir Gemayel meurt dans un attentat à l'explosif.

Qui se trouve derrière ?

Le choix est large. À commencer par les Israéliens qui estimaient avoir été trompés par le jeune président libanais. Ce n'est guère crédible : ils avaient au contraire intérêt à maintenir la pression sur Gemayel en imaginant qu'il finirait par plier.

Les Syriens, naturellement, avaient de bonnes raisons d'éliminer un président qui leur était hostile et avait passé des accords avec Israël.

Enfin il y avait ses ennemis traditionnels : ses rivaux chrétiens dont il avait fait assassiner familles et miliciens.

Alors que penser ? Les services de Damas ont certainement été mêlés à l'affaire. Mais les hommes qui ont perpétré l'attentat étaient des Libanais. Des Libanais pro-syriens. Parmi eux, Hobeïka.

Fidèle de Gemayel, certes. Mais terriblement ambitieux. HK en avait assez de n'être qu'un super-garde du corps !

Deux éléments essentiels accréditent la thèse de sa culpabilité : le jour de l'attentat, bizarrement, l'unité spéciale chargée de la protection de Gemayel et placée sous l'autorité d'Hobeïka était absente. Autre indice : Hobeïka, qui a été farouchement pro-israélien, tourne bientôt casaque et se rapproche des Syriens.

L'attentat contre Bechir Gemayel permet donc à Sharon d'exécuter enfin un plan préparé longtemps à l'avance. Dès le 15 septembre, c'est-à-dire au lendemain de l'assassinat de Bechir Gemayel, l'armée israélienne pénètre dans le secteur musulman. Le Premier ministre Begin et Shamir, le ministre des Affaires étrangères, ont donné leur accord, mais les autres membres du cabinet n'ont pas été consultés.

Tsahal peut agir d'autant plus tranquillement que les militaires de la force multinationale, Français, Américains et Italiens, ont quitté Beyrouth, la veille même de l'assaut israélien. Il est vrai que la mission de la FMI, qui était de procéder à l'évacuation des forces de l'OLP présentes à Beyrouth, était terminée. Mais Arafat et Bechir Gemayel avaient demandé que le contingent international demeure sur place. Arafat, parce qu'il avait peur qu'après son départ les milices chrétiennes n'en profitent pour liquider les civils palestiniens qui restaient dans Beyrouth. Gemayel, parce que la présence de la FMI était une garantie, à la fois contre les Syriens et les Israéliens.

Le prétexte de l'intrusion de Tsahal est le suivant : les Israéliens prétendent vérifier par eux-mêmes que plus aucun membre de l'OLP ne se trouve à Beyrouth. Ils entendent donc « nettoyer » la capitale libanaise.

Il existe, près du stade à Beyrouth, deux camps de réfugiés palestiniens, Sabra et Chatila. Sharon est persuadé que des terroristes s'y cachent. Mais le gouvernement israélien lui a interdit de pénétrer dans les camps. Aussi le soin de nettoyer Sabra et Chatila est confié aux phalangistes, des hommes qui n'ont pas de pires ennemis que les Palestiniens contre lesquels ils se battent depuis sept ans. Par conséquent, il est certain qu'ils ne feront pas de quartier, d'autant qu'ils sont sous le coup de la mort de leur chef, Bechir Gemayel.

Le massacre est donc prévisible. Une véritable horreur ! Des centaines et des centaines de morts, enfants, femmes, vieillards. Alors même que les deux camps de réfugiés sont encerclés par l'armée israélienne.

Les soldats de Tsahal ne peuvent pas ignorer les crimes des phalangistes. De leurs positions, ils voient ce qui se passe et ne réagissent pas. Sharon, leur chef, est par conséquent doublement coupable. D'abord d'avoir laissé entrer les phalangistes dans les camps. Et ensuite de n'être pas intervenu pour faire cesser les massacres. C'est ce que reconnaîtra une commission d'enquête israélienne.

Sharon sera obligé de démissionner de son poste de ministre de la Défense. Mais cette commission n'a pas fait toute la lumière sur ces événements tragiques. Car elle n'a accusé Sharon que de responsabilité indirecte dans les crimes de Sabra et Chatila. Or la responsabilité de l'armée israélienne va bien au-delà d'une simple non-assistance à personnes en danger. Il y a d'abord ces nombreux témoignages de rescapés qui affirment que des Israéliens étaient présents à l'intérieur des camps lors des massacres. Mais il faut aussi tenir compte du fait que certains phalangistes ont pu revêtir des uniformes israéliens comme lorsqu'ils s'entraînaient en Israël. D'ailleurs, au cours d'une réunion avec Bechir Gemayel, le chef d'état-major de Tsahal, le général Eytan, a assuré qu'au cours de leurs actions communes les phalangistes seraient considérés comme appartenant à des unités régulières de l'armée israélienne.

D'autre part, les Israéliens savaient depuis longtemps quelles étaient les intentions des phalangistes. À l'occasion d'une autre rencontre avec des généraux israéliens, Gemayel avait dit crûment qu'il y avait un problème démographique avec les Palestiniens. D'où la nécessité de procéder à un nettoyage ethnique.

Enfin, il semble bien que c'est Sharon qui ait demandé aux phalangistes de « nettoyer » – c'est le mot qu'il a employé – les camps de Sabra et Chatila. Un nettoyage qui devait se faire dans la plus grande discrétion : la mort de tous ces Palestiniens étant attribuée à des combats en règle entre phalangistes et terroristes de l'OLP.

Si cette version n'a pas été retenue, c'est que des journalistes ont réussi à pénétrer dans Sabra et Chatila et ont vu que c'étaient essentiellement des civils qui avaient été massacrés et qu'il avait été procédé à un véritable génocide, comme l'a reconnu l'Assemblée générale des Nations unies à la fin de 1982.

Encore plus troublant, le sort des Palestiniens détenus à l'intérieur du stade voisin alors tenu par les militaires israéliens. Les phalangistes n'ont heureusement pas massacré tous les réfugiés. Pendant et après les massacres, ils ont procédé à un tri : femmes et enfants d'un côté, hommes de l'autre. Ces derniers, au nombre de mille huit cents, ont été conduits au stade et donc remis aux Israéliens qui désiraient sans doute les interroger. Mais on ne les a pas revus !

Il y a de fortes chances pour que les Israéliens, après les avoir interrogés, les aient ensuite livrés à leurs alliés phalangistes. Dès lors, leur sort était scellé. Ils ont vraisemblablement été assassinés. Et peut-être même, pour quelques-uns d'entre eux, enterrés sous la pelouse du stade. Mais on ne les retrouvera jamais : à la fin de la guerre, le stade a été démoli et on a reconstruit sur ses ruines de luxueuses installations sportives.

Hobeïka n'a jamais été inquiété. Très vite, il a choisi le camp de la Syrie, l'adversaire d'hier, tout en devenant chef des forces libanaises.

Une ascension qui ne va pas sans difficultés. HK a des rivaux, en particulier Samir Geagea, un autre massacreur de Sabra et Chatila. Pour échapper à ce redoutable adversaire, il devra même momentanément trouver refuge en France. Mais il revient bien vite au Proche-Orient, sous l'aile protectrice de la Syrie où, comme à l'habitude, il continuera à s'enrichir en se livrant à de nombreux trafics.

La suite est chaotique. Hobeïka soutient un moment le nouveau patron des chrétiens libanais, le général Aoun. Mais il le trahit bien vite au profit de ses amis de Damas. Puis, quand la paix syrienne intervient, il entame une carrière politique et est nommé ministre à plusieurs reprises. Il en profite pour se livrer à des activités très lucratives.

Malgré cette respectabilité de façade, son étoile pâlit peu à peu. Il est évident que la présence au gouvernement libanais de l'un des principaux responsables des massacres de Sabra et Chatila commence à devenir embarrassante.

En 2002, donc, il trouve la mort au cours d'un attentat à la voiture piégée. Israël est aussitôt accusé car on parle de faire comparaître Sharon devant un tribunal étranger pour l'affaire de Sabra et Chatila. Hobeïka pourrait être un témoin gênant.

Malgré tout, il est plus probable que ce soit des Libanais qui l'aient assassiné. Des gens qui voulaient se venger de lui. Ou qui voulaient se débarrasser d'un agent syrien !

Le mystère demeure donc.

Samir Kassir, journaliste libanais[1] :

« Un tel assassinat politique aurait exigé une décision du conseil des ministres israélien ou du cabinet restreint. On peut concevoir l'accord de la coalition gouvernementale pour une opération de ce genre. Mais l'embrigadement de tous les services israéliens pour défendre les intérêts personnels du Premier ministre ne saurait obtenir l'unanimité et s'exposerait à une révélation rapide de la part des acteurs, lésés par une telle personnalisation de la politique israélienne. »

---

1. *An Nahar*. Depuis, Kassir a lui-même été assassiné.

IX

Le supercanon de Saddam

Cette histoire semble avoir été écrite par Jules Verne, l'écrivain de *De la Terre à la Lune*, l'inventeur du « Gun-Club de Baltimore », ce club d'experts en balistique qui ne rêvaient que de construire des canons de plus en plus monstrueux. Ces « anges exterminateurs » qui, selon Jules Verne, étaient par ailleurs les meilleurs fils du monde, conçoivent un formidable canon chargé d'une masse énorme de fulmicoton, capable de vaincre la gravité terrestre et d'envoyer vers la Lune un projectile habité.

Un rêve fou, bien évidemment. Les futurs explorateurs de notre satellite ne s'engouffreront pas dans la gueule béante d'un canon mais dans une capsule au sommet d'une fusée. Il n'empêche que ce sont peut-être ces chimères qui ont inspiré au XXe siècle un vrai spécialiste en balistique, un homme qui voulait construire des canons toujours plus longs, toujours plus puissants et qui a fini par en mourir !

En 1989, au mois d'août exactement, il s'est passé un événement très mystérieux en Irak : une explosion d'une extrême violence ! Si violente qu'elle a été entendue à Bagdad, alors qu'elle s'est produite à plus de quarante kilomètres de la capitale irakienne.

À l'époque, Saddam Hussein était soupçonné de vouloir doter son pays de l'arme nucléaire[1]. Et sans l'opération « Tempête du désert » il y serait peut-être arrivé. C'est l'une des raisons profondes qui ont amené les Alliés à intervenir en Irak, l'autre étant le pétrole ! En envahissant le Koweït en août 1990, Saddam mettait en cause le contrôle exercé par

---

1. Voir chapitre X.

l'Occident sur les ressources pétrolières du Moyen-Orient. Ça n'était pas acceptable. Surtout pour les États-Unis. Le reste, c'est-à-dire l'invasion du Koweït, les atteintes aux droits de l'Homme, ne pesait pas lourd à côté de la question du pétrole. Par ailleurs, pendant des années, les Occidentaux s'étaient parfaitement accommodés du régime dictatorial de Saddam Hussein. Essentiellement à cause de l'Iran : l'Irak contribuait à contenir les forces révolutionnaires iraniennes et constituait le meilleur rempart contre l'islamisme ! Par conséquent, les démocraties ont fermé pudiquement les yeux sur l'utilisation massive par l'Irak des armes chimiques lors de la guerre du Golfe. L'Occident n'a même pas bronché lorsque Saddam Hussein s'est servi de ces mêmes armes contre les populations civiles du Kurdistan.

Tout a changé avec l'invasion du Koweït et l'appropriation par Saddam des immenses champs pétroliers du pays.

Mais bien avant, lorsque cette mystérieuse explosion se produit en 1989, on s'interroge. S'agit-il d'une explosion atomique ?

Tous les services secrets sont mobilisés. Mais il est difficile d'aller voir sur place dans un pays où la police et les forces de sécurité sont omniprésentes. Pourtant un journaliste britannique, sans doute préalablement briefé par des hommes des services secrets, fait le voyage. À charge pour lui, à son retour, de faire part de ses découvertes à ses informateurs.

Farzad Bazoft, journaliste indépendant travaillant pour *The Observer*, est d'origine iranienne mais possède la nationalité britannique. Il enquête depuis quelque temps sur une curieuse société de Bruxelles, la Space Research Corporation.

Lorsque Bazoft arrive en Irak, il n'a rien de plus pressé que de se rendre sur les lieux où l'explosion s'est produite.

Avec l'aide d'une infirmière de sa connaissance, *persona grata* en Irak, il y parvient. Pas facile d'enquêter sur place. Personne ne parle. Bazoft décide donc de prélever quelques échantillons de terre dans le but de les faire analyser à son retour en Angleterre. Ainsi on éclaircira la nature de cette considérable explosion.

Ce faisant, le journaliste commet une grande imprudence. Son initiative n'est pas passée inaperçue. De retour à Bagdad, Bazoft et son amie infirmière sont immédiatement arrêtés. Aux mains des forces irakiennes de sécurité, Farzad Bazoft, torturé, ne tarde pas à parler. Il confesse en particulier avoir espionné pour Israël.

Sous la torture, on peut avouer n'importe quoi. Même le plus improbable. Conclusion : après lui avoir extorqué ces aveux, les autorités irakiennes le jugent prestement. Le journaliste est condamné à mort.

De nombreuses protestations internationales parviennent jusqu'à Bagdad. Le gouvernement britannique se déclare indigné. Le roi Hussein de Jordanie essaie même de s'entremettre afin de sauver la vie de Bazoft. En vain. Les Irakiens, de toute évidence, veulent en faire un exemple et décourager toute nouvelle tentative d'espionnage. Car Bazoft était tout près d'avoir découvert l'un des plus grands secrets du dictateur irakien : le projet « Babylone », la construction d'un supercanon !

Saddam Hussein, en refusant de gracier Bazoft, veut envoyer un avertissement très fort aux Anglais. Non pas : « Cessez de m'espionner ! » Mais plutôt : « Continuez à m'aider ! »

Cela mérite une explication. Les Britanniques, très impliqués dans les affaires irakiennes, étaient discrètement partie prenante dans la construction de ce supercanon qu'on avait d'abord considéré à tort comme une fumisterie. Mais cette participation devait rester secrète : depuis la guerre entre l'Irak et l'Iran, la communauté internationale avait décrété un embargo sur les livraisons d'armes à destination des deux belligérants. Le gouvernement de Margaret Thatcher violait donc cette décision. Mais, l'affaire risquant de devenir embarrassante si elle était découverte, la Dame de fer avait tendance à traîner un peu des pieds. Ce qui irritait Saddam Hussein. En condamnant à mort Bazoft, il envoyait donc un sérieux avertissement au gouvernement britannique !

Farzad Bazoft a été pendu en mars 1990 et les Irakiens ont poussé le cynisme jusqu'à exposer sa dépouille en face de l'ambassade britannique à Bagdad. Un ministre de Saddam a même cruellement ironisé : « Mme Thatcher voulait Bazoft. Eh bien, nous lui donnons son cadavre ! »

Le Premier ministre britannique a très bien compris le message. Mais apparemment la Dame de fer ne réagit pas comme le dirigeant irakien peut l'espérer. Loin d'obtempérer et donc de reprendre leur collaboration sur le projet « Babylone », les Britanniques prennent au contraire des mesures de rétorsion !

Dix jours après l'exécution de Bazoft, les douaniers britanniques opèrent une saisie importante à l'aéroport de Heathrow. Ils mettent la main sur une quarantaine d'éclateurs destinés à l'Irak, c'est-à-dire des détonateurs qui peuvent éventuellement être utilisés dans la fabrication de bombes atomiques placées sur des missiles.

Alain Gresh, journaliste[1] :

« *Le 5 décembre 1989, l'Irak annonce le lancement d'une fusée balistique à trois étages ainsi que la mise au point d'un missile sol-sol Tammuz-1 d'une portée de 2 000 kilomètres. Quelques semaines plus tard, Israël met en orbite un satellite espion Ofek-2. L'histoire de la course aux fusées dans la région remonte aux années 1950, quand la société française Avions Marcel Dassault collaborait avec Israël : en 1961 est expérimentée la Jéricho-1, d'une portée de 450 kilomètres. Après la guerre de 1973, les Soviétiques commercialisent dans la région le Scud-B d'un rayon d'action de 250 kilomètres, devenu tellement courant aujourd'hui qu'on peut se le procurer sur les marchés de seconde main. C'est la guerre du Golfe, dans les années 1980, qui accélère la compétition. Tandis que l'Irak et l'Iran, durant la guerre des villes, se bombardent grâce à des Scud « dopés », toutes les puissances de la région cherchent à se doter de ces nouveaux engins. L'Égypte, en collaboration avec l'Argentine et l'Irak, tente de mettre au point la fusée Badr (Condor) d'une portée de 800 kilomètres. La Jéricho-II israélienne atteindra bientôt une portée de 1 500 kilomètres. L'Arabie saoudite se dote, au début de 1988, grâce à l'aide de la Chine, de fusées DF-3 capables de toucher des cibles à plus de 3 000 kilomètres. Israël peut être frappé en quelques minutes par des fusées ennemies, et tous les pays du Proche-Orient sont désormais à portée des missiles israéliens. L'insécurité s'installe, accroissant les possibilités d'une "première frappe préventive" qui risquerait d'embraser une nouvelle fois la région et de menacer l'Europe si proche.* »

---

1. *Le Monde diplomatique*, mai 1990.

Manifestement, les gabelous britanniques ont été très bien informés. Mais peut-être pas directement par le gouvernement britannique. Plus probablement, ce sont des agents du MI-6 anglais qui ont ainsi vengé la pendaison du journaliste Bazoft, un homme qui était sans doute un des leurs.

C'était donc un premier coup de semonce. La suite va être encore plus spectaculaire !

Dans la première quinzaine du mois d'avril, des douaniers, encore eux, s'intéressent à un cargo battant pavillon des Bahamas, le *Gur Mariner*. Il est à quai dans un port du nord-ouest de l'Angleterre quand les gabelous débarquent. Encore une fois, ils disposent d'un solide tuyau.

Dans les cales, ils découvrent d'énormes cylindres de bois. Mais ce ne sont que des enveloppes : à l'intérieur, il y a d'autres cylindres, en acier ceux-là ! Des tubes livrés par les Forges de Sheffield et destinés à l'Irak.

Les douaniers britanniques, après avoir effectué la saisie de la cargaison, déclarent que ces tubes apparemment inoffensifs sont en fait des éléments qui, une fois assemblés, formeront un gigantesque canon. Une arme prodigieuse de plusieurs dizaines de mètres de long capable de tirer des projectiles de plus d'un mètre de diamètre à des centaines de kilomètres ! Tirés depuis l'Irak, ces monstrueux obus pourraient donc atteindre Israël ou l'Iran.

L'existence de cet éventuel supercanon déclenche aussitôt la polémique. Certains prétendent qu'un tel canon n'est pas concevable. En particulier, à cause de son poids. D'autres affirment que les tubes saisis sur le cargo ne sont pas des éléments d'un supercanon, mais simplement des conduits destinés à l'industrie pétrolière.

> ***Le Monde*, 16 avril 1990 :**
> *« Après avoir affirmé, un peu hâtivement peut-être, que les huit cylindres d'acier destinés à l'Irak et saisis en Grande-Bretagne étaient les pièces d'un canon géant destiné à semer la terreur en Israël ou en Iran, les experts en balistique anglais semblent faire machine arrière. De hauts responsables du gouvernement britannique, cités vendredi soir 13 avril par la chaîne de télévision ITN affirment que "l'opinion du gouverne-*

> *ment est que les Irakiens et les compagnies impliquées dans cette affaire ont peut-être été accusés à tort." Selon ITN, les responsables en question croient que les éléments saisis ne sont "probablement qu'un tronçon d'oléoduc". De son côté, un porte-parole des douanes britanniques a réaffirmé que les huit tubes d'acier découverts à bord du cargo pourraient servir de fût à un canon d'artillerie. C'est aussi l'avis des experts du ministère de la Défense, a-t-il insisté en précisant que l'enquête se poursuivait.*
>
> *Le constructeur des tubes, Sheffield Forgemasters, avait auparavant réfuté la théorie, "tirée par les cheveux", du canon géant, réaffirmant qu'ils constituaient un petit tronçon d'un oléoduc destiné à l'industrie pétrochimique irakienne. L'aciérie affirme qu'elle a tout fait dans les règles et que les caisses saisies par les douaniers étaient les dernières d'une série d'envois identiques en Irak, autorisés par le DTI, le ministère du Commerce et de l'Industrie. »*

Tous poursuivent en fait le même but : nier l'existence du projet de construction d'un supercanon ! Et parmi eux, on retrouve pêle-mêle les gouvernements britannique et irakien et aussi, bien entendu, les Forges de Sheffield.

Le démenti, plutôt embarrassé, des autorités britanniques laisse penser que l'initiative de ces mesures de rétorsion à l'encontre de l'Irak n'a pas été prise par Mme Thatcher, mais bien plutôt par des membres des services secrets bien placés pour savoir la vérité. Et depuis fort longtemps !

Dans cette affaire, il y a déjà eu un mort : le journaliste Bazoft pendu le 15 mars 1990, Bazoft, coupable de s'être intéressé d'un peu trop près au supercanon irakien. Mais ce n'est pas fini. Un autre journaliste britannique, un certain Jonathan Moyle, enquête lui aussi sur cette affaire. Et en particulier sur cette société basée à Bruxelles, la Space Research Corporation, qui intéressait aussi Bazoft.

Moyle, qui travaille pour une revue spécialisée dans les questions de défense, essaie de démêler l'écheveau des sociétés internationales en cheville avec le ministère irakien de la sécurité. Il soupçonne un industriel chilien, un nommé Carlos Cardoen, d'être un maillon essentiel de l'affaire du supercanon. Au mois de mars 1990, le journaliste se rend donc au Chili.

À Santiago, Moyle essaie d'approcher Cardoen. Mais il essuie un refus cuisant : l'industriel chilien ne veut pas parler.

Le journaliste s'apprête donc à repartir. Le matin de son départ, il téléphone à ses parents. Il doit en effet se marier début avril, et il met au point avec eux les derniers préparatifs de son mariage. Quelques heures après, on retrouve son corps dans sa chambre d'hôtel. Selon la version officielle, Moyle s'est pendu !

Une explication invraisemblable d'autant que l'autopsie révèle que le journaliste a ingéré des substances toxiques. Et puis pourquoi ce jeune journaliste, qui devait se marier quelques jours plus tard, aurait-il soudain décidé de se suicider ?

Cependant, l'enquête est étouffée. À l'évidence, il existe au Chili des gens qui ont le bras long et ont muselé la justice. Des personnages qui tiennent par-dessus tout à protéger le secret du supercanon de Saddam Hussein !

Cette arme diabolique est décidément bien dangereuse pour tous ceux qui s'y intéressent d'un peu trop près. Car il y a encore un autre mort, toujours au cours de ce même mois de mars 1990.

Gerald Bull, le patron de la Space Research Corporation, est le « cerveau » qui a conçu le supercanon. Cet ingénieur est assassiné à Bruxelles le 22 mars, une semaine après la pendaison du journaliste Bazoft et quelques jours avant le faux suicide de Jonathan Moyle. Bull était une personnalité très connue dans les milieux internationaux de l'armement.

À l'origine, Bull est officier dans l'armée canadienne. Mais, dès la fin des années 1960, il quitte l'uniforme, s'installe à son compte et crée sa société, la Space Research Corporation. Il a en effet une passion : la balistique et tout particulièrement les canons à longue portée. Il s'est donc beaucoup documenté sur les travaux des ingénieurs allemands qui ont créé la *Grosse Bertha*, cette gigantesque pièce qui a bombardé Paris pendant la Première Guerre mondiale.

Très vite, les Américains s'intéressent à ses recherches. C'est d'autant plus étonnant que l'avenir des armes à longue portée passe désormais par les missiles. Cependant, Bull doit être suffisamment convaincant puisqu'il parvient à persuader le Pentagone qui lui commande un énorme canon d'une cinquantaine de mètres de long.

Bull construit plusieurs modèles. Ces supercanons se révèlent capables d'envoyer un obus de deux cents kilos à une distance incroyable : plusieurs centaines de kilomètres ! En outre, ces prototypes peuvent être aussi utilisés pour envoyer des charges dans l'espace à la place des fusées. L'ingénieur en donne une preuve expérimentale lorsqu'un de ses canons envoie un projectile à plus de cent quarante kilomètres d'altitude !

C'est un succès provisoire. Car les Américains vont choisir définitivement les missiles. Sa coopération avec le Pentagone a été cependant très précieuse.

Grâce aux Américains, Bull recrute de nouveaux clients. Et d'abord les Israéliens à qui il livre des canons à longue portée plus classiques et des obus qui le sont un peu moins. Ces munitions seront très utiles aux Israéliens lors de la guerre de Kippour. Parce qu'ils permettront à l'État hébreu de bombarder Damas.

Mais, au fil des années, les clients se font un peu plus rares. Et comme il faut bien vivre, Bull bricole un peu et se livre à quelques activités peu honorables. Par l'intermédiaire de ses nouveaux amis israéliens, il est mis en contact avec l'Afrique du Sud. Malgré l'embargo militaire qui frappe le pays de l'apartheid, il vend à l'Afrique du Sud le brevet d'un nouvel obusier de sa fabrication. Malheureusement, la nouvelle transpire et Bull est condamné à un an de prison par la justice des États-Unis. Sa vie va alors basculer !

Au début des années 1980, il part s'installer à Bruxelles. C'est là, dans la capitale belge, qu'il est contacté par celui qui deviendra son principal client, Saddam Hussein.

C'est le propre gendre de Saddam, Hussein Kamel, qui vient le rencontrer à Bruxelles à l'initiative de l'industriel chilien Cardoen qui, depuis longtemps déjà, fournit des armes aux Irakiens.

Le dictateur irakien a-t-il eu connaissance des travaux de Bull sur les canons à longue portée ? Peut-être pas. Mais on lui a appris que le

Canadien était un grand spécialiste en balistique. Or, Saddam Hussein, en guerre avec Téhéran, a un besoin urgent de canons. Bull est susceptible de lui en fournir.

Certes l'Irakien n'ignore pas que l'ingénieur a autrefois collaboré avec Israël. Mais ce n'est pas un obstacle. Les canons fournis à Tsahal ont servi à bombarder Damas. Et, après Israël, la Syrie est le plus grand ennemi de l'Irak.

En outre, dans le métier de marchands d'armes, on ferme facilement les yeux sur ces petits problèmes.

Un jour, en se rendant à Bagdad, Bull rencontre le dictateur en personne. La guerre avec l'Iran est alors terminée mais la tension est toujours vive dans le Golfe. Bull profite de ce rendez-vous pour parler de sa passion : les canons à longue portée.

Devant un Saddam Hussein éberlué, Gerald Bull expose par le menu son projet. Un projet encore plus fou que celui qu'il a développé aux États-Unis. Le Canadien rêve de construire un supercanon de plus de cent mètres de long ! Un engin qui serait capable d'envoyer des charges classiques ou contenant des armes chimiques ou nucléaires à plus de mille kilomètres !

L'Irakien se prend à rêver. En possession d'une telle arme, les capitales israélienne et iranienne seront à sa portée. Il pourrait enfin devenir le maître incontesté de la région. Mais ce projet est-il réaliste ?

Bull le prétend. Il a fait des calculs très précis, très savants. Son canon qui pèsera plus de quatre mille cinq cents tonnes sera enterré. Il pourra tirer non plus des obus mais des fusées à une vitesse initiale de mille neuf cents mètres par seconde.

Saddam Hussein est conquis et donne son feu vert au projet. Immédiatement, Bull met en place un extraordinaire puzzle.

Pour construire les prototypes, il faut des milliers de tonnes d'acier usiné. Et pas n'importe quel acier ! En Irak, il n'existe pas d'installation industrielle susceptible de fournir ce matériau. Il faut donc s'adresser à l'étranger. Mais, comme les fournitures militaires pour l'Irak sont sous embargo, Bull, astucieusement, démultiplie les commandes. En Italie, en Suisse, en Allemagne. Et bien sûr en Angleterre ! Partout, pour sauvegarder les apparences, on feint de commander des matériels servant pour l'industrie pétrolière. En réalité, tous ces fournisseurs savent que ces aciers très spéciaux ont une destination militaire.

Quant aux gouvernements, sous la pression des lobbies industriels, ils ferment les yeux. Mme Thatcher, en particulier, est parfaitement au courant et couvre ces livraisons qui sont en parfaite contradiction avec l'embargo décidé par l'ONU.

Cependant, des fuites se produisent à la fin des années 1980. Des journalistes un peu trop curieux, sans doute bien informés par des agents des services secrets, se mettent en devoir d'enquêter.

En faisant exécuter Bazoft, Saddam Hussein commet une énorme faute et déclenche des représailles. Il est donc contraint de mettre provisoirement un terme à son projet puisque les livraisons de tubes sont bloquées un peu partout en Europe. Et du même coup, le dictateur perd aussi le cerveau du projet.

Une semaine exactement après l'exécution du journaliste, des tueurs attendent Bull à l'extérieur de son appartement. Quand il arrive, ils tirent deux balles mortelles.

Le Mossad a longtemps été soupçonné d'être à l'origine de cet assassinat. C'est en effet assez plausible. Mais il est plus probable que des francs-tireurs du MI-6 ont agi afin de venger Bazoft et de ruiner une fois pour toutes le projet de supercanon de Saddam Hussein !

Rolf Ekeus, directeur de la commission spéciale des Nations unies chargée de surveiller le désarmement irakien[1] :

« Le supercanon irakien de 350 mm (que Saddam Hussein avait essayé, selon certaines sources militaires occidentales, de faire fabriquer avant la guerre du Golfe) était, dans sa conception, prévu pour tirer des fusées guidées à un seul étage, emportant des charges de près de 100 kg à une portée de plus de 1 200 km. On savait que ces supercanons devaient tirer des fusées. Mais, jusqu'à présent, les détails précis sur ces missiles et le stade exact d'avancement de leur développement étaient restés

---

1. Article reproduit par *Courrier international* en 1994.

voilés de mystère. Préparés par la Space Research Corporation (SRC), installée à Bruxelles et dirigée par feu Gerald Bull, spécialiste canadien en balistique, des documents suggèrent que les plus grands progrès avaient été réalisés sur un projectile de 3,6 m de long, connu sous la désignation de missile sol-sol Babylone II, qui aurait dû emporter une charge de 22 kg. L'ensemble du projet du supercanon portait le nom de code Project Babylon. Grâce à des charges de 325 kg, ces canons de 350 auraient propulsé les Babylone II à une vitesse de départ de 1294 m/s. Quelques secondes plus tard, les moteurs des fusées, avec 225 kg de carburant solide, se seraient allumés, faisant passer la vitesse à près de neuf fois celle du son (soit 11 000 km/h) et propulsant les projectiles dans les couches supérieures de l'atmosphère. »

X

Osirak, dieu du nucléaire

Il porte – ou plutôt il portait – un nom de dieu : Osirak ! La contraction d'Osiris, le grand dieu de la mythologie égyptienne et d'Irak ! L'Irak de Saddam Hussein ! Mais, très irrévérencieusement, les Israéliens l'ont aussi appelé « Ô-Chirac », tant il semble acquis que ce réacteur nucléaire irakien devait beaucoup au président français alors qu'il était Premier ministre de Valéry Giscard d'Estaing.

Saddam Hussein rêvait de se doter d'un redoutable arsenal militaire. À tel point qu'avant la première guerre du Golfe, en 1990, les médias occidentaux présentaient volontiers l'armée irakienne comme la quatrième ou la cinquième du monde ! On le sait aujourd'hui, il fallait faire la part de la propagande et de la désinformation. Mais il est vrai que le dictateur irakien avait accumulé un stock impressionnant d'armes balistiques, chimiques et bactériologiques. Les fameuses ADM, armes de destruction massive. Et si le réacteur Osirak n'avait pas été détruit, Saddam Hussein aurait peut-être pu ajouter à cette panoplie des armes nucléaires.

La France a joué un rôle décisif dans la conception et la construction de cette installation qui, en principe, devait doter l'Irak d'une industrie nucléaire civile mais qui, à l'évidence, avait comme objectif réel de permettre au dictateur de Bagdad d'accéder à la possession de l'arme atomique.

Toutefois, Israël a ruiné les efforts de Saddam Hussein en détruisant Osirak avant même que le réacteur ne puisse produire le principe actif de la bombe.

Pour commencer, il ne faut jamais oublier que c'est la France qui a donné la bombe atomique à Israël. Certes l'État hébreu n'a jamais reconnu officiellement être en possession de l'arme nucléaire, mais c'est un secret de Polichinelle. L'État hébreu dispose d'un arsenal de plusieurs dizaines de bombes atomiques et thermonucléaires. Et peut-être même de bombes à neutrons.

Et si ce pseudo-secret perdure, c'est sans doute à cause du grand allié américain. Les Israéliens, reconnaissant être en possession de l'arme atomique, Washington, officiellement hostile à la prolifération nucléaire, serait obligé de prendre des sanctions. Par conséquent, on reste dans l'ambiguïté. Et ça arrange tout le monde. D'autant que la question du nucléaire, en Israël, est encore un tabou. Tout le monde sait que le pays possède la bombe et la grande majorité des Israéliens approuve. Mais personne n'en parle. Il n'y a même jamais eu de débat au Parlement sur ce sujet.

Ce sont donc les dirigeants de la IVᵉ République, surtout les socialistes, qui initient et favorisent la coopération scientifique entre Français et Israéliens. La fin de la Seconde Guerre mondiale est encore proche. Et à cause des horreurs de la Shoah, le gouvernement français décide de venir en aide aux travaillistes de Ben Gourion. Le très secret centre de recherches nucléaires de Dimona a vu le jour grâce à la France, à ses savants et à ses entrepreneurs. Bien sûr, l'arrivée au pouvoir du général de Gaulle a mis à mal cette collaboration. Mais un certain nombre de grandes entreprises ont passé outre et ont continué à travailler avec les Israéliens, au moins jusqu'au milieu des années 1960, en usant de divers stratagèmes pour camoufler leurs activités illégales. Et ce sont les mêmes qu'on retrouvera quelques années plus tard en Irak ! Mais les affaires sont les affaires...

Amnon Kapeliouk, journaliste israélien[1] :
« *Les essais nucléaires effectués par les deux géants asiatiques, le Pakistan et l'Inde, en mai 1998, ont amené tous les regards à se tourner vers Israël, considéré comme une puissance nucléaire à part entière – la sixième par ordre d'importance – bien que théoriquement "non*

1. *Le Monde diplomatique*, février 1999.

> *déclarée". L'ambiguïté maintenue par le gouvernement israélien concer-*
> *nant la "bombe juive" s'est pourtant peu à peu dissipée, et la question*
> *n'est plus de savoir si Israël possède des armes nucléaires, mais quelle*
> *est la place de cet arsenal dans sa stratégie régionale. En Israël, les auto-*
> *rités utilisent toujours le conditionnel lorsqu'il s'agit de la bombe ou*
> *des armes chimiques et biologiques. Elles évoquent l'option nucléaire*
> *et répètent à satiété qu'"Israël ne sera pas le premier à introduire les armes*
> *nucléaires au Proche-Orient", même si elles ajoutent que "l'État juif*
> *ne sera pas, non plus, le deuxième à le faire"... Et on laisse à tout le*
> *monde le soin de deviner la signification de ces paroles énigmatiques. »*

Au début des années 1970, nos stratèges du SDECE[1] lorgnent vers l'Irak. Ce pays arabe est à l'époque très lié à l'URSS. Il est donc tentant de l'en éloigner. D'autre part, l'Irak, les services ne l'ignorent pas, finance des mouvements terroristes. Paris veut y mettre fin et désire par ailleurs consolider nos approvisionnements après le choc pétrolier de 1973. Or l'Irak dispose de ressources comparables à celles de l'Arabie saoudite.

Saddam Hussein n'est encore officiellement que le numéro deux du régime, mais le président en exercice étant malade c'est lui qui exerce la réalité du pouvoir. Il nourrit alors une folle ambition : construire la première bombe atomique arabe.

Il s'adresse d'abord à ses amis soviétiques. Mais à Moscou, on se méfie : les Soviétiques, pas plus que les Américains, n'ont envie de contri-buer à la prolifération nucléaire. L'URSS ne lui fournit donc qu'un petit réacteur nucléaire, une machine qui ne peut absolument pas lui per-mettre de réaliser son rêve.

Avec la France, les premiers contacts sont pris au niveau des services de renseignement. Puis, en 1974, naturellement, les politiques pren-nent le relais.

Valéry Giscard d'Estaing vient d'être élu président de la République et Jacques Chirac est son Premier ministre. Plus tard, beaucoup plus

---

1. Service de documentation extérieure et de contre-espionnage, devenu DGSE, Direction générale des études et recherches, sous Mitterrand.

tard, lors de la campagne présidentielle de 1981, lorsque l'affaire commencera à devenir embarrassante, ces deux éminents hommes politiques se rejetteront l'un sur l'autre l'initiative du contrat qui va être signé avec l'Irak : aucun de ces deux candidats à la magistrature suprême ne voulant s'aliéner les votes de la communauté juive !

Sur les conseils d'Alexandre de Marenches qui est alors le patron du SDECE, Jacques Chirac effectue un voyage à Bagdad. Apparemment, c'est le coup de foudre entre lui et Saddam. Les deux dirigeants s'apprécient beaucoup et, dès cette première rencontre, le sujet brûlant du nucléaire est abordé.

Toutefois, officiellement, pour n'effaroucher personne, on évoque seulement le désir des Irakiens de se doter d'un programme nucléaire civil. Ce qui ne manque pas d'étonner : pourquoi l'Irak qui dispose de formidables ressources pétrolières aurait-elle besoin de se doter en plus d'un programme nucléaire ?

Lorsque Saddam Hussein rend visite à son tour au Premier ministre français, l'année suivante, il est conduit à Cadarache où on lui présente l'éventail de la technologie nucléaire française. Le dirigeant irakien est invité à faire son marché. Son choix se porte sur un modèle de réacteur de type graphite-gaz. La technologie qui a autrefois permis à la France de se doter de la force de frappe.

Cette filière graphite-gaz a l'immense intérêt, en tout cas du point de vue militaire, de produire du plutonium.

Il est donc clair qu'en vendant un tel réacteur les dirigeants français n'ignorent pas l'usage que l'Irak pourra faire de ce matériel. Mais, en retour, la France a la certitude de disposer de quantités considérables de pétrole pour les années à venir. Dans les relations internationales, chaque pays ne voit que ses intérêts : si les États-Unis et l'URSS ont été les apôtres de la non-prolifération, c'était d'abord pour préserver leur suprématie nucléaire. Pour s'en persuader, il suffit de se souvenir de la fureur des Américains lorsque la France construit sa propre force de frappe. Et des chausse-trappes qu'ils nous ont tendues !

Pourtant, au moment de signer le contrat, quelque temps après la visite de Saddam, quelques difficultés de dernière minute se présentent :

on s'aperçoit soudain du côté français que ce modèle de réacteur n'est plus fabriqué par le constructeur, Framatome.

Naturellement, quelqu'un a dû tirer le signal d'alarme ! À moins que de l'autre côté de l'Atlantique, averti par quelque taupe, on se soit inquiété.

Les Irakiens ne sont pas des naïfs : cette brusque reculade doit être justifiée. Paris informe donc Bagdad qu'EDF vient justement de renoncer à équiper ses centrales de ce type de réacteur et que, par conséquent, le constructeur a cessé d'en fabriquer.

Les Irakiens ont-ils gobé cette histoire cousue de fil blanc ? En tout cas, ils demandent aussitôt qu'on leur fournisse un réacteur d'un autre modèle. Il leur est donc proposé un engin à eau sous pression. Mais, pour les Irakiens, il présente un grave inconvénient : le cœur du réacteur est difficile d'accès. Confiné dans une cuve d'acier, il interdit un certain nombre de manipulations. Or ce sont justement celles qui intéressent les Irakiens !

En effet, pour produire du plutonium destiné à construire une bombe atomique, il faut pouvoir introduire dans le réacteur de l'uranium naturel. Uranium qui se transformera en plutonium.

Or dans le nouveau modèle choisi par EDF, cette manipulation est impossible !

Par conséquent, il faut trouver une autre solution pour satisfaire Saddam Hussein. Et on trouve un réacteur de recherche nommé « Osiris ». Dans cet engin, le cœur baigne dans une piscine. Il est donc accessible et permet l'introduction d'uranium naturel et sa transformation en plutonium.

Osiris, qui va devenir Osirak, sera vendu à l'Irak pour un beau milliard de francs. Mais, à la faveur de ce tour de passe-passe, il faut remarquer que les autorités françaises, sans renoncer à équiper les Irakiens, ont tout de même réalisé qu'elles s'étaient engagées dans une affaire dangereuse et qu'il leur avait fallu rectifier le tir de toute urgence.

Osirak peut fabriquer du plutonium. Mais en très petite quantité car il est vingt fois moins puissant que le réacteur qui a d'abord été proposé à Saddam Hussein.

Pour aboutir à la fabrication d'une bombe, il faut une certaine quantité de plutonium ou d'uranium 235, appelée masse critique. Dans le contrat signé avec l'Irak, la France s'engage à livrer six charges d'uranium enrichi. Ce qui permettrait en principe de fabriquer une bombe. Mais pour apaiser Saddam Hussein, Paris lui promet la livraison d'un réacteur jumeau, Isis.

Toutefois, alors que le contrat est signé en 1976, l'Irak ne recevra qu'une seule charge avant 1981. Il est évident qu'à Paris on hésite et que les pressions de toutes sortes n'ont pas manqué.

Les Israéliens sont particulièrement inquiets. La possession de la bombe par les Irakiens est une menace mortelle pour eux. Ils ont suffisamment d'amis en France pour être parfaitement informés des clauses les plus secrètes de cet accord. Et ils sont bien placés pour savoir que cette histoire de nucléaire civil est une fable puisqu'ils ont eux-mêmes prétendu que la France ne les avaient aidés qu'à doter Israël d'une industrie civile.

Ils ne sont donc pas dupes et sont prêts à intervenir dès que la menace se précisera. Y compris par la force. Le gouvernement israélien dirigé par Begin constitue même sur cette seule question un cabinet antibombe islamique.

Il faut ajouter, à la décharge d'Israël, que Saddam Hussein provoque sciemment l'État hébreu. De façon assez puérile, le dictateur irakien rebaptise les deux réacteurs jumeaux et les nomme Tamuz I et Tamuz II. Or Tamuz, dans le calendrier juif, est le mois au cours duquel l'armée de Nabuchodonosor s'est autrefois emparée de Jérusalem et a détruit le premier temple ! Dans cette région du monde où le verbe est roi, les Israéliens comprennent que ces deux réacteurs sont vraiment destinés à fabriquer la bombe qui frappera un jour leur pays.

Comme d'habitude, c'est le Mossad qui est d'abord chargé d'opérer.

Ariel Sharon, ministre israélien de la Défense (1981)[1] :
« Au-delà du premier cercle des pays du champ de bataille, limi-
trophes d'Israël, l'intérêt d'Israël doit, pour sa sécurité, s'étendre à deux

---

1. 19 décembre 1981. Exposé devant le comité d'études stratégiques de l'université de Tel Aviv.

autres cercles géographiques : les pays arabes sans frontières communes mais qui, avec un potentiel militaire en développement, constituent une menace supplémentaire par leur capacité à envoyer des renforts sur le théâtre des opérations ou à agir contre les voies aériennes ou maritimes d'Israël ; tous les pays qui, par leurs positions et leurs orientations stratégiques, peuvent porter atteinte à la sécurité nationale d'Israël.

En d'autres termes, il faut étendre le champ d'intérêt stratégique et la zone de sécurité d'Israël au-delà du Proche-Orient et de la mer Rouge, et y comprendre, dans les années 1980, des pays comme la Turquie, l'Iran, le Pakistan, le golfe Persique et l'Afrique centrale comme l'Afrique du Nord. Nous devons être capables d'assurer notre suprématie qualitative et technologique sur toute coalition hostile et nous ne pouvons éviter la guerre que par le maintien d'une attitude dissuasive contre tous ceux qui menacent l'existence de notre pays.

Le troisième fondement de notre politique de sécurité pour les années 1980 est notre décision d'empêcher nos ennemis, actuels ou potentiels, d'accéder à la capacité nucléaire. Pour nous, il ne s'agit pas d'équilibre de la terreur, mais de la permanence de notre propre existence. Cette menace doit être combattue à la racine. »

Le Mossad, parfaitement informé de l'état d'avancement des travaux d'Osirak, ou plutôt de Tamuz I, agira donc préventivement. En Irak, au sud de Bagdad, des entreprises françaises, dont Bouygues, assurent le gros œuvre. Mais, c'est en France qu'on procède aux travaux les plus délicats, l'assemblage et la construction des dispositifs techniques. Une filiale du Commissariat à l'énergie atomique et une entreprise de Marseille, la CNIM, sont chargées de cette partie. Cette dernière société intéresse particulièrement le Mossad car elle fabrique le cœur des réacteurs jumeaux.

Au printemps 1979, ce précieux matériel est prêt à partir pour l'Irak. Mais d'étranges touristes arrivent sur la Côte d'Azur. Jeunes, discrets, ils n'attirent pourtant pas l'attention. Une nuit, sept d'entre eux se glissent jusqu'au hangar de la CNIM à La Seyne-sur-Mer. Ils attendent tranquillement que le gardien de nuit ait terminé sa ronde et ils entrent dans le bâtiment où les deux cœurs sont stockés dans des caisses avant d'être embarqués.

Curieusement, ce hangar où se trouvent des matériels aussi précieux est très peu surveillé. À l'intérieur, les pseudo-touristes fixent des charges explosives à retardement sur les caisses et s'en retournent paisiblement par petits groupes vers leurs hôtels respectifs. Un peu plus tard dans la nuit, une formidable explosion secoue l'entrepôt. Le tour est joué ! Les deux cœurs des réacteurs sont en grande partie détruits.

À Bagdad, Saddam Hussein est fou de rage. Il a parfaitement compris d'où vient le coup. Il tempête tant et si bien que la France, au plus haut niveau, s'engage à réparer au plus vite les dégâts. Mais si on entend donner satisfaction à Bagdad, on continue à avancer à reculons. Exactement comme si on avait enfin compris que la France s'était décidément engagée dans une affaire qui risque de devenir de plus en plus ennuyeuse.

Il est donc proposé à l'Irak de lui fournir un autre combustible que l'uranium enrichi. Il s'agit du « caramel » ainsi que les spécialistes du nucléaire l'appellent. Ce combustible contient beaucoup moins d'uranium mais suffit à faire fonctionner un réacteur comme Osirak. Mais les Irakiens ne se laissent pas abuser : ils menacent de rompre tous les contrats avec la France. Or parmi tous ces contrats, il y a de fabuleux marchés d'armement : Saddam Hussein se prépare à entrer en guerre contre l'Iran !

Par conséquent, Paris cède.

Mais les Israéliens continuent à suivre l'affaire. Quelques mois après l'attentat de La Seyne-sur-Mer, ils sont prêts à récidiver.

La mise en œuvre d'un tel programme nucléaire implique une coopération scientifique entre les spécialistes irakiens et français et des allées et venues entre les deux pays. Un physicien d'origine égyptienne, le Dr Yahya El-Meshad, est chargé en juin 1980 de superviser les envois de combustible nucléaire vers l'Irak. Étrangement, il ne fait pas l'objet de mesures particulières de protection de la part de la police française ou des services secrets.

Un soir, le physicien reçoit une prostituée dans sa chambre de l'hôtel *Méridien*, à Paris. Le lendemain matin, on le retrouve mort. Il a été assassiné ! La femme est recherchée. Mais avant qu'elle puisse être interrogée par la police, elle est renversée par une voiture et mortellement blessée.

Il y aura encore d'autres incidents graves : des menaces et même un autre assassinat ! Il n'empêche que, malgré tout, Osirak et son petit frère commencent à pousser au sud de Bagdad. Et en Israël, on s'affole !

À l'automne 1980, alors que la guerre Iran-Irak vient d'éclater, deux bombardiers Phantom non immatriculés s'attaquent à Osirak et infligent de sérieux dégâts aux bâtiments. Les Américains, au vu de leurs observations radars, prétendent que les appareils étaient iraniens. Mais il est beaucoup plus probable que ces deux bombardiers non immatriculés venaient tout droit d'Israël. La guerre Iran-Irak a servi de couverture.

Malgré tout, les travaux se poursuivent sur le site d'Osirak où travaillent des centaines de spécialistes français. En Israël, on est maintenant prêt à frapper un grand coup : il y a désormais urgence ! Les Israéliens, toujours très bien informés, savent que le réacteur Osirak va devenir opérationnel au milieu de l'année 1981 ou, au plus tard, à la fin de l'été. À Jérusalem, le cabinet antibombe atomique décide d'intervenir avant. Car si les Israéliens bombardent les installations alors que la réaction de fission a commencé, ils risquent de provoquer un accident nucléaire d'une extrême gravité.

Une date est fixée : le 10 mai 1981. Mais en Israël, on s'aperçoit que c'est aussi le jour du deuxième tour de l'élection présidentielle en France. Il faut surseoir afin de ne pas envenimer d'emblée les rapports avec le nouveau président français. D'autant qu'on ne sait pas encore quelle sera sa politique vis-à-vis d'Israël.

Début juin, l'opération est lancée. Ce raid aérien met en œuvre plus d'une dizaine d'avions israéliens et aboutit à un parfait succès militaire : Osirak est détruit ! Et un seul technicien français, sur les centaines qui y travaillaient, a été tué : ce jour-là, un dimanche, ils ont tous éprouvé le besoin d'aller à la messe ! Une étonnante unanimité qui laisse penser que certains d'entre eux avaient été prévenus et qu'on avait fait en sorte de persuader les autres de s'éloigner.

Il existait donc une connivence avec les Israéliens. Dans cette affaire, comme dans l'attentat de La Seyne-sur-Mer, la France a joué double jeu. D'une part, on aidait les Irakiens à construire leur bombe et, de l'autre côté, on aidait les Israéliens à détruire leurs installations nucléaires !

Pour autant, était-ce le fait du gouvernement français ? Ou bien s'agissait-il d'initiatives isolées ?

Au sein des services de renseignement, des gens étaient hostiles au fait que la France donne la bombe à l'Irak. À cause des menaces sur Israël, bien entendu.

D'autre part, il est certain qu'en France le pouvoir était embarrassé et qu'il n'entendait pas respecter l'accord conclu en 1975 lorsque Jacques Chirac était Premier ministre. En conséquence, il était tentant de fermer les yeux sur les initiatives de quelques agents du SDECE bien décidés à tout faire pour saboter la bombe irakienne !

François Mitterrand, plutôt proche d'Israël, tergiversera. Il préférera que les industriels français concluent de fructueux contrats d'armement avec l'Irak, en guerre avec l'Iran, plutôt que de poursuivre une étroite coopération nucléaire.

XI

Irak : les contradictions américaines

Les États-Unis n'ont pas toujours été hostiles à l'Irak. Bien au contraire. Quelques mois seulement avant la première guerre du Golfe, un haut responsable américain affirmait que Saddam Hussein était une force de modération dans la région. Or, à cette époque, on n'ignorait rien de la nature sanguinaire du régime irakien. Et on savait en particulier que le dictateur avait utilisé des armes chimiques contre sa population kurde révoltée.

Jusqu'à l'invasion du Koweït, aux États-Unis, mais aussi plus généralement en Occident, on ne s'est guère soucié des violations des droits de l'homme en Irak.

Et pourquoi, en 1991, alors que le régime de Saddam Hussein semblait prêt à s'effondrer, George Bush senior a-t-il soudain mis fin à la guerre du Golfe et laissé ainsi le dictateur irakien massacrer les populations qui s'étaient révoltées ? Bref, pourquoi le président américain a-t-il alors épargné Saddam Hussein ?

Étrange mansuétude !

Dans la première moitié des années 1970, les Occidentaux tentent surtout d'éloigner Bagdad de son grand allié soviétique. C'est pratiquement acquis à partir de 1975. La France, qui conclut avec l'Irak de juteux contrats militaires et lui vend même des réacteurs nucléaires[1], est alors à la pointe. Le Premier ministre, Jacques Chirac, est dans les meilleurs termes avec Saddam Hussein pour qui il éprouve, dit-il, estime et affection !

---

1. Voir chapitre X.

Cependant les Français ne sont pas les seuls à contribuer à enrichir l'impressionnant arsenal irakien alors même que le pays, qui a hébergé des personnages aussi dangereux qu'Abou Nidal, figure sur la liste des pays soutenant le terrorisme. Mais l'Irak, grâce à son pétrole, est riche !

La révolution islamiste de Khomeiny a raison des derniers scrupules des marchands d'armes occidentaux : l'Irak laïque apparaît presque naturellement comme un rempart contre une possible contagion de l'islamisme des ayatollahs. Un islamisme dont Saddam Hussein le sunnite doit lui-même se méfier : 60% de la population irakienne est chiite.

L'Occident convient donc d'aider l'Irak. Mais ça peut aller plus loin : en 1980, Saddam Hussein a été encouragé à attaquer l'Iran. En tout cas, il n'a pas été dissuadé, bien au contraire. Bagdad peut ainsi obtenir discrètement des livraisons de matériel électronique américain dernier cri. Non sans raison, le dictateur irakien considère désormais qu'il est devenu un allié respectable des États-Unis. Et, en 1982, le président Reagan prendra la décision de rayer l'Irak de la fameuse liste des États terroristes.

Avant même cette décision, les Américains multiplient leurs ventes d'armes aux Irakiens. Du matériel toujours plus sophistiqué. Ces expéditions se font d'abord dans le plus grand secret et par l'intermédiaire de pays amis, puis plus ouvertement, à partir du moment où les deux pays renouent des relations diplomatiques.

Les États-Unis, qui ont besoin de Bagdad pour contenir et affaiblir l'Iran, soutiennent donc clairement l'effort de guerre irakien. Pourtant, aux yeux de la loi internationale, l'Irak est l'agresseur. C'est au nom de ce même argument, l'agression d'un pays voisin, que les Américains déclencheront la guerre du Golfe après l'invasion du Koweït.

Washington fournit aussi à Saddam Hussein d'énormes quantités de céréales. L'interminable guerre contre l'Iran désorganise l'économie irakienne. La pénurie alimentaire menace. Les États-Unis prêtent donc des sommes faramineuses aux Irakiens afin qu'ils puissent acheter du blé. Ça tombe à point pour le lobby céréalier américain qui ne peut plus vendre de blé à l'URSS depuis la mise en place de l'embargo consécutif à l'invasion de l'Afghanistan.

La France n'est pas en reste. Dans cette terrible guerre Irak-Iran, elle a, elle aussi, choisi le parti du premier belligérant. Ça ira même très loin puisque le président Mitterrand autorisera la mise à disposition de l'aviation irakienne de cinq Super-Étendard équipés de missiles Exocet. Des bombardiers qui permettront à Bagdad d'anéantir le terminal pétrolier iranien de l'île de Kharg.

Parallèlement, mais clandestinement, des firmes françaises livrent des munitions à l'Iran. Les Américains, *via* Israël, n'agissent pas autrement. Ce sera le fameux scandale de l'Irangate.

En fait, les uns et les autres ont intérêt à ce que cette guerre, où des centaines de milliers d'hommes périssent, dure le plus longtemps possible. Il convient donc de veiller à établir une sorte d'équilibre entre les deux belligérants. Lorsque les Irakiens seront à leur tour en difficulté, les Américains n'hésiteront pas à leur fournir des informations recueillies par leurs satellites ou leurs avions de surveillance Awacs.

Rarement l'Occident n'a fait preuve d'autant de cynisme que dans cette affaire. Il sera même accepté que des firmes allemandes et belges livrent à l'Irak des produits chimiques utilisés pour gazer les troupes iraniennes qui montent en masse à l'assaut dans la région de Bassorah.

Les Occidentaux ont donc contribué à doter l'Irak de ces armes de destruction massive qu'on lui a reproché de dissimuler. Si Saddam Hussein a pu perfectionner ses missiles balistiques, c'est grâce aux ordinateurs livrés par les Américains. S'il a pu construire des usines d'armement chimique, c'est grâce à l'argent occidental et aux transferts de technologie. Quant au nucléaire, ce n'est pas la faute de la France s'il a échoué à posséder la bombe.

Il ne s'agissait pas seulement de faire pièce à l'Iran. L'Irak était alors la caverne d'Ali Baba. On y faisait d'excellentes affaires. Saddam Hussein achetait tous azimuts. Et au prix fort. Ça lui a permis de doter son armée en peu de temps d'un formidable potentiel militaire. Non pas la quatrième armée du monde, comme on l'a prétendu avant le déclenchement de la guerre du Golfe, mais certainement l'armée la plus puissante de la région après celle d'Israël.

Saddam Hussein, pour soutenir cet effort, a dû emprunter car la rente pétrolière ne suffisait plus. L'Irak s'est donc lourdement endetté surtout auprès des banques saoudiennes et émiraties. Tant que la guerre avec l'Iran durait, elles pouvaient difficilement refuser, Saddam Hussein faisant valoir qu'il combattait l'Iran pour les protéger aussi du danger islamiste !

Toutefois quand, en 1988, la guerre s'est terminée, il lui a été demandé de rembourser. On a alors découvert que l'Irak était menacé d'une véritable banqueroute financière. Le piège s'était refermé sur Saddam Hussein. L'avenir de son pays était désormais dans les mains des banques étrangères.

C'est en partie pour échapper à cette tutelle qu'il s'est lancé dans sa folle aventure au Koweït.

Pierre-Jean Luizard, chercheur au CNRS[1] :

« Quand Téhéran paraissait proche de la défaite, Washington donnait le feu vert pour des ventes d'armes sous couverture israélienne à l'Iran. Quand Bagdad semblait sur le point de perdre la partie, Washington encourageait les ventes d'armes françaises à l'Irak. En 1986, quand l'armée irakienne était au bord de la défaite, elle put retourner la situation en sa faveur grâce à l'entrée en action de la marine américaine dans le Golfe. "Ni vainqueur ni vaincu" était le credo américain dans la guerre Iran-Irak. Henry Kissinger déclarait crûment : "Nous voulons qu'ils continuent à s'entretuer le plus longtemps possible." Mais ce constat de la duplicité américaine était passé au second plan lorsque les Irakiens avaient constaté que les États-Unis leur offraient ce qu'ils avaient de meilleur en technologie et en aide financière.

Pour l'heure, la fin de la guerre avec l'Iran ne paraissait pas devoir marquer celle de l'alliance entre Washington et Bagdad. Les hommes d'affaires arrivèrent en masse dans la capitale irakienne, espérant être enfin payés, comme pour une nouvelle ruée vers l'or. Mais les problèmes apparurent vite. L'Irak était incroyablement endetté. Sa dette se montait à soixante-dix milliards de dollars, et plus encore si l'on compte les trente-cinq milliards de dollars extorqués par Saddam Hussein à ses voisins arabes en argent et en pétrole. »

---

1. Ce spécialiste du Moyen-Orient a publié *La Question irakienne*, Fayard, 2002.

Malgré cette dette écrasante, les Américains continuent à commercer avec l'Irak de Saddam Hussein. Pourtant, aux États-Unis même, de plus en plus de voix s'élèvent pour critiquer ces relations privilégiées.

Le gazage des Kurdes, accusés d'avoir partie liée avec Téhéran, a provoqué une intense indignation dans le monde entier. Mais à la Maison-Blanche, on ne veut rien savoir. Le président Bush refuse les sanctions économiques que certains membres du Congrès proposent à l'encontre de l'Irak.

Le même Bush qui va pourtant mobiliser une force considérable pour vaincre Saddam Hussein en 1991. Alors que s'est-il passé entre-temps ? Et pourquoi ce revirement d'importance ?

Première raison : depuis longtemps déjà, pour protéger la sécurité de leurs approvisionnements pétroliers, les Américains veulent disposer de bases dans la région. Or les dirigeants d'Arabie saoudite refusent avec la dernière énergie que des militaires américains stationnent sur leur sol. Pour des motifs essentiellement religieux.

Mais Washington compte obtenir satisfaction en agitant la menace militaire que feraient peser les troupes irakiennes sur l'Arabie.

La seconde raison, c'est Israël. Tant que la guerre Iran-Irak mobilisait les forces de deux de leurs ennemis les plus acharnés, les Israéliens ne se sont pas inquiétés. Mais, avec la fin de la guerre, ils peuvent craindre que le formidable arsenal irakien ne se retourne contre eux.

Il faut donc pousser Saddam Hussein à la faute afin de réduire à néant son potentiel militaire.

Les pays arabes commencent par refuser d'annuler la dette irakienne. Simultanément, les dirigeants koweïtiens accroissent leur production de pétrole et provoquent une chute des cours catastrophique pour l'Irak qui est déjà financièrement étranglé.

Saddam Hussein, qui ne croit pas à une intervention étrangère, tombe dans le panneau : il envahit puis annexe le Koweït afin de s'emparer de ses puits de pétrole.

Avant cette annexion, Washington avait les moyens de peser sur les pays arabes de la région, tous des alliés, pour leur demander d'alléger la dette irakienne. Les Américains n'en ont rien fait : ils voulaient que Saddam Hussein se piège lui-même, agresse le Koweït et justifie ainsi malgré lui une intervention militaire internationale, l'opération « Tempête du désert ».

La coalition triomphe aisément de « la quatrième armée du monde ». Le cessez-le-feu est décidé unilatéralement par le président Bush, à la grande surprise de ses alliés et même des chefs militaires américains. Car l'armée de Saddam Hussein est alors complètement laminée, à l'exception de la garde républicaine. Très étrangement, les Américains ont permis à ce corps d'élite de s'échapper. En tout cas, d'un simple point de vue tactique, rien ne s'opposait à ce que les troupes alliées progressent jusqu'à Bagdad et renversent le régime. Pour finir le travail, comme on disait élégamment à l'époque. Ce que fera, des années plus tard, Bush junior.

Il n'était peut-être même pas nécessaire de marcher sur Bagdad tant le pays, désorganisé, échappait au pouvoir central. Au nord, les Kurdes se soulèvent et, très rapidement, leurs combattants s'emparent de toutes les villes. Au sud, ce sont les chiites qui se lancent dans une véritable *intifada*. Dès lors, il n'y a plus d'autorité et la grande majorité des provinces irakiennes n'obéissent plus à Bagdad. Si les conditions du cessez-le-feu sont strictement respectées, c'est-à-dire si l'armée de Saddam Hussein demeure contrainte à l'impuissance, il est évident que le régime baassiste s'effondrera tout seul. Or George Bush, contre toute attente, sauve Saddam Hussein !

La rébellion chiite prend rapidement de l'ampleur dans les provinces du sud. Les insurgés sont d'autant plus déterminés qu'ils pensent être encouragés par les Américains. Eh bien, pas du tout ! Lorsque Saddam Hussein demande aux généraux américains d'utiliser les hélicoptères de sa garde républicaine pour réprimer les émeutiers, on lui répond positivement et on consent même à ce qu'il utilise son artillerie lourde. Ça se traduit forcément par un vrai massacre.

La position officielle des Américains consiste à dire : nous avons reçu un mandat des Nations unies pour libérer le Koweït. Nous nous limitons là et n'avons pas à nous mêler des affaires intérieures de l'Irak. Et nous ne voulons pas risquer la vie de nos soldats dans une guerre civile.

Cette position parfaitement hypocrite peut être assimilée à de la non-assistance à peuple en danger. En effet, grâce à leurs observations aériennes, les Américains n'ignorent rien des exactions commises par les troupes de Saddam. Des unités qui utilisent encore une fois l'arme chimique pour venir à bout de la rébellion chiite.

Au nord, chez les Kurdes, c'est exactement le contraire. Des troupes américaines interviennent dès le mois d'avril pour protéger les Kurdes de la répression de Saddam Hussein. Depuis, le Kurdistan est quasiment indépendant. Deux poids, deux mesures, donc !

Cela s'explique très bien. En réalité, le président américain espérait que les généraux irakiens sunnites le débarrasseraient de Saddam Hussein en provoquant un putsch. Car il craignait par-dessus tout une victoire des chiites qui aurait abouti à la création d'une deuxième république islamiste dans la région. Le putsch n'ayant pas eu lieu, Bush a lâché la bride à la garde prétorienne du dictateur irakien et, indirectement, a autorisé les massacres.

Certes, on aurait pu imaginer que les Américains et leurs alliés, marchant jusqu'à Bagdad, éliminent Saddam Hussein et instaurent un régime démocratique. Que se serait-il passé ? Les chiites, majoritaires dans le pays, auraient mathématiquement conquis le pouvoir. Ce n'était pas acceptable pour Washington qui, par ailleurs, avait atteint la plupart de ses objectifs : les forces militaires américaines étaient maintenant durablement installées dans les pays pétroliers du Golfe, et l'Irak, exsangue, était désormais sous surveillance. Jamais les États-Unis n'avaient été aussi puissants. En outre, le fait que Saddam Hussein soit resté au pouvoir n'était pas entièrement négatif. Il servait d'épouvantail. Tant qu'il demeurait à la tête de l'Irak, on pouvait toujours prétendre qu'il représentait une menace pour ses voisins. Autant de voisins qui se rangeraient bien sagement sous le parapluie américain. Et qui n'auraient aucune envie d'en sortir.

Quitte à prendre quelques libertés avec la vérité, Saddam Hussein demeure utile.

André Fontaine, ancien directeur du *Monde* :
« Encouragés par un appel de George Bush père, alors président, les chiites se révoltent massivement contre le dictateur. Mais rien n'em-

> *pêchera celui-ci de les écraser, Paris et Londres entendant rapatrier leurs hommes au plus vite, Colin Powell, alors numéro un de l'armée américaine, pensant de même et, surtout, les émirs de la région n'ayant aucune envie de voir s'installer à Bagdad un pouvoir influencé par Téhéran. Les Kurdes auront été plus heureux qui, grâce en bonne partie à Danielle Mitterrand et à Bernard Kouchner, bénéficient aujourd'hui de l'autonomie interne dans une zone neutralisée par l'aviation alliée. Depuis lors, Saddam joue au chat et à la souris avec les Anglo-Saxons, convaincus que son objectif prioritaire est de se doter d'armes de destruction massive capables, en tout état de cause, de menacer Israël et l'Arabie saoudite. D'où des raids fréquents que la population subit de plein fouet, de même que les sanctions imposées par l'ONU. »*

Au mois d'avril 1993, George Bush senior, qui n'est plus président des États-Unis depuis quelques mois, fait une visite triomphale au Koweït pour commémorer la libération du pays deux ans plus tôt. Il est reçu en héros et l'émir le décore. Trois semaines plus tard, les autorités koweïtiennes déclarent avoir éventé un projet d'assassinat visant l'ex-président américain au cours de sa visite dans l'émirat. Ce que confirme aussitôt à Washington un haut responsable de l'administration qui ajoute que Bagdad se trouve derrière cette affaire.

D'après les Koweïtiens, plusieurs plans avaient été mis au point. Deux consistaient à faire exploser des voitures piégées sur le parcours de l'ancien président. Un troisième prévoyait un attentat-suicide, un homme porteur d'explosifs se serait fait sauter dans l'immédiat entourage de Bush.

Naturellement Bagdad dément aussitôt toute implication dans cette affaire. Mais les autorités koweïtiennes donnent des détails : un mois avant la visite de l'ex-président, grâce à une source irakienne, elles ont eu vent d'une tentative d'assassinat de George Bush et ont pu intercepter les terroristes avant qu'ils ne puissent agir. Onze Irakiens et trois Koweïtiens sont arrêtés, dont deux pris par la police alors qu'ils marchent dans le désert.

Ils parlent aussitôt : tombés en panne d'auto, ils regagnaient l'Irak à pied après avoir abandonné leur quatre-quatre. Un véhicule où se trouve la bombe qui doit tuer George Bush. Le premier, un certain Al-Ghazali, est un infirmier. Il affirme qu'il a été approché début avril par un agent des services secrets irakiens.

N'ayant aucune expérience en matière de terrorisme, il est donc surprenant qu'on lui confie une mission de première importance. Ses commanditaires lui ont dit que s'il ne réussissait pas à faire sauter sa voiture piégée, il lui serait remis une ceinture d'explosifs. Il devrait alors s'approcher le plus près possible de Bush et se faire sauter.

Ces aveux ne semblent guère crédibles : les auteurs d'attentats-suicides reçoivent généralement un entraînement et surtout un long conditionnement psychologique.

Le deuxième interpellé passe lui aussi aux aveux. C'est en principe le chef du commando. Al-Assadi est un contrebandier notoire. Installé à Bassorah, il traverse régulièrement la frontière koweïtienne avec de l'alcool, des armes ou encore du haschisch. Il déclare qu'un agent irakien lui a demandé de transporter des explosifs à Koweït City. Des bombes qui devaient perturber le voyage de Bush au Koweït. Mais, prétend-il, il se serait débarrassé de la dynamite et des détonateurs après le passage de la frontière.

Les autres membres du commando se révéleront être de simples voyageurs qui venaient au Koweït pour affaires ou pour rendre visite à des proches.

Restent donc les deux présumés terroristes qui sont passés aux aveux. La police du Koweït est réputée pour utiliser des méthodes musclées lors des interrogatoires. Les déclarations de ces hommes, déjà fort invraisemblables, ont donc pu leur être extorquées. D'autre part, la personnalité des terroristes, un infirmier et un contrebandier, fait planer un soupçon d'amateurisme sur l'affaire. Les services irakiens, s'ils étaient en cause, n'auraient certainement eu aucun mal à trouver des gens plus expérimentés pour assassiner George Bush.

Des agents du FBI sont envoyés sur place par le président Clinton. Ils estiment que les aveux des terroristes sont sincères et ont été recueillis dans de bonnes conditions. Ensuite, ils font des comparaisons : la bombe retrouvée dans la voiture abandonnée par les terroristes contiendrait un explosif de même nature que celui saisi deux ans plus tôt en Turquie sur un agent irakien. D'une fabrication très sophistiquée, la bombe n'aurait pu provenir que de l'arsenal d'un État ! Enfin, les hommes du FBI analysent le dispositif électronique de mise à feu à distance et découvrent qu'il s'agit d'un modèle déjà utilisé par les Irakiens lors de la guerre du Golfe.

Au terme de leur enquête, les agents du FBI concluent formellement que le commanditaire de l'attentat se trouve à Bagdad.

Bill Clinton ne peut plus hésiter. Cela fait des semaines qu'on lui reproche de ne pas avoir décidé de représailles dès qu'il a appris l'existence de cette tentative d'attentat contre son prédécesseur. Mais ce tout jeune président, à juste raison, sait qu'il faut se méfier des informations provenant du Koweït. Il n'a pas oublié les bobards colportés lors de l'invasion irakienne : les bébés arrachés des couveuses par les militaires de Saddam Hussein, par exemple.

Mais maintenant il a ce rapport du FBI sous les yeux… Il doit agir. Le document est arrivé sur son bureau à la fin juin. Deux jours plus tard, une vingtaine de missiles Tomahawk à un million de dollars pièce sont tirés sur le siège des services secrets irakiens à Bagdad. Malheureusement, trois des missiles ratent leur cible : une poignée de civils dont un célèbre artiste sont tués.

L'opération est quand même tout bénéfice pour Clinton. Alors que sa cote de popularité fléchissait dangereusement, le voilà soudain requinqué : il gagne d'un seul coup dix points.

L'affaire n'est pas terminée pour autant. Des journalistes américains n'ont pas manqué de soulever les bizarreries du dossier. Même à la CIA, dans un document très confidentiel, on émet des doutes et on soupçonne les Koweïtiens d'avoir purement et simplement inventé l'affaire dans le but de faire croire que l'Irak menace toujours les intérêts occidentaux au Moyen-Orient.

Il s'agit donc tout simplement d'un montage auquel les agents du FBI, qui ne sont pas plus bêtes que d'autres, ont participé en toute connaissance de cause. Parce qu'au sein de l'administration américaine, on n'avait pas admis la façon dont s'était terminée la guerre du Golfe et surtout le fait qu'on ait épargné Saddam Hussein.

Le pot aux roses a été découvert par un célèbre journaliste américain d'investigation, Seymour Hersh. Il a d'abord démontré que les composants du dispositif électronique de mise à feu de la bombe étaient fabriqués à des centaines de milliers d'exemplaires à Taïwan. On en trouvait dans des jeux, des talkies-walkies, etc.

D'autre part, les experts qu'il a consultés lui ont affirmé que la bombe elle-même n'avait rien de sophistiqué et que n'importe qui avait pu la fabriquer ! Les deux principales charges du rapport FBI s'écroulaient donc.

Toutefois les Américains n'avaient pas l'intention d'en rester là. Le renversement de Saddam Hussein restait une donnée obsessionnelle de la politique américaine. Comme s'il fallait à tout prix réparer l'erreur commise en 1991, ce cessez-le-feu prématuré qui a permis au dictateur irakien de sauvegarder son pouvoir et sans doute sa vie. Et George Bush junior, en particulier, brûlait d'envie d'effacer la faute de son père !

Quoi qu'il en soit, dès la fin de la guerre du Golfe, Saddam Hussein a repris en main les rênes du pouvoir avec encore plus de férocité qu'avant. Quinze des dix-huit provinces de l'Irak s'étaient pratiquement débarrassées momentanément de sa férule. Il devait donc sévir. Chez les chiites, la répression a sans doute fait quelques cent mille morts. Toutefois, les troupes américaines interviennent pour dissuader l'armée irakienne de poursuivre ses exactions et décident la mise en place de zones d'exclusion aérienne au sud et au nord. Elles ne peuvent être survolées que par les avions alliés.

Aux États-Unis, accusé d'avoir sauvé Saddam Hussein, Bush senior fait l'objet de vives critiques tant dans l'administration que dans les milieux militaires. Par conséquent, il doit faire quelque chose pour chasser Saddam Hussein du pouvoir.

Dès le mois de juin 1991, il ordonne à la CIA de monter une opération dans ce sens. À cette époque, mais ça a duré assez longtemps, les services américains ne disposent d'aucun agent à l'intérieur du pays. Les services secrets américains ont déjà privilégié le renseignement électronique, « techint », au détriment du renseignement humain, « humint ».

En l'absence de tout relais sur place, la CIA imagine d'organiser l'opposition. Ce qui n'est pas évident : jusqu'alors les opposants à Saddam Hussein ont toujours combattu en ordre dispersé.

Les unir n'est pas une mince affaire. Toutefois, en 1992, il semble que la CIA ait réussi en permettant la création du CNI, le Congrès national irakien. Un mouvement de libération qui regroupe les partis kurdes, des chefs religieux chiites et d'anciens partisans de Saddam Hussein passés à l'opposition et exilés.

La première réunion, entièrement préparée et financée par la CIA, se tient à Vienne. Un leader émerge : Ahmed Chalabi.

Si ce richissime banquier est incontestablement un homme habile et un politique avisé, il cumule aussi pas mal de points faibles. Parti d'Irak alors qu'il était encore enfant, il ne connaît pratiquement pas son pays. Et, réciproquement, ses compatriotes n'ont jamais entendu parler de lui. Ensuite, il est chiite. Certes, il appartient à la fraction la plus importante de la population irakienne mais chacun sait que les sunnites ne permettront jamais à un chiite d'accéder au pouvoir. C'est aussi un homme à la réputation douteuse. Propriétaire d'une banque jordanienne, il a fait une faillite retentissante qui a spolié des milliers de clients, ce qui lui a valu d'être poursuivi en Jordanie pour détournement de fonds. Enfin, ses alliés le soupçonnent d'être une créature de la CIA. Ce qui est parfaitement vrai.

Chalabi compte s'installer dans la seule partie du territoire irakien qui échappe à l'autorité du dictateur : le Kurdistan. Il désire y créer un embryon d'armée de libération en recrutant des déserteurs de l'armée irakienne. Autant de projets qui ne déboucheront sur rien de solide. D'autant qu'au Kurdistan, il existe déjà deux partis qui disposent, eux, de milices armées.

À la CIA, on se rend compte assez rapidement que Chalabi n'est peut-être pas le bon cheval. À côté du CNI, les Américains poussent à la création d'un deuxième mouvement, l'ANI, l'Accord national irakien, pourvu d'un nouveau chef, Iyad Al-Alawi. Ancien membre du parti au pouvoir, le parti Baas, il espère susciter un putsch qui chassera Saddam Hussein.

Il lui faut donc s'assurer de la complicité d'un certain nombre d'officiers irakiens.

Al-Alawi connaît beaucoup de monde dans l'élite dirigeante irakienne. Un réseau clandestin se met en place. Il est financé à la fois par les Américains et certains États du Golfe avec le soutien discret de plusieurs services de renseignement, américains, britanniques et arabes.

Les amis d'Alawi parviennent à perpétrer un certain nombre d'attentats à Bagdad. Mais en 1996, peu de temps avant le déclenchement du putsch, les services secrets irakiens éventent le coup et liquident des dizaines d'officiers supérieurs appartenant à l'armée, à la fameuse garde républicaine ou aux organes de sécurité. Manifestement, l'ANI a été infiltrée par des agents de Saddam Hussein.

Ce fiasco est d'autant plus humiliant que, parallèlement, il était prévu une assistance militaire américaine. Mais était-ce vrai ?

Les Américains ont trop souvent fait preuve de duplicité avec Saddam Hussein. Et cet échec n'était pas le premier de la CIA en Irak !

Revenons un tout petit peu en arrière. C'est donc en 1991 que le président Bush autorise la CIA à mettre en œuvre certaines méthodes actives destinées à chasser Saddam du pouvoir. Dès son élection, le nouveau président, Bill Clinton, semble être sur la même ligne. Au début de l'année 1995, une petite cellule de la CIA est implantée au Kurdistan.

Son objectif le plus important consiste à prendre contact avec un général irakien qui a fait défection un an plus tôt et s'est réfugié au Kurdistan. L'Agence compte sur cet officier, ancien conseiller du dictateur, pour obtenir des informations sur les armes secrètes de l'Irak. Au cours de leurs premiers contacts avec ce général, les agents de la centrale américaine apprennent que sous son autorité un groupe d'officiers prépare un putsch. Des comploteurs qui ne sont pas ceux d'Al-Alawi.

Le général demande froidement aux représentants de la CIA : les États-Unis veulent-ils vraiment renverser Saddam Hussein ?

Il a donc des doutes. Et comment n'en aurait-il pas après ce qu'il s'est passé en 1991 ? Il y a aussi le fait que ce général est bien placé pour savoir que les Américains, malgré l'embargo, laissent complaisamment les dirigeants irakiens vendre du pétrole de contrebande en Jordanie ou en Turquie, deux pays amis des États-Unis sur lesquels ceux-ci pourraient aisément faire pression pour interrompre ce trafic.

Ces ventes clandestines de pétrole bénéficient directement à Saddam Hussein et aux Kurdes qui prélèvent leur dîme au passage.

Le général veut donc savoir quelle est exactement la politique de Washington. Et s'il sera soutenu en cas de tentative de putsch ! Les agents de la CIA ne peuvent pas lui répondre tout de suite et en réfèrent à leur centrale qui, elle-même, prendra ses ordres à la Maison-Blanche.

Les jours passent. Aucune réponse du siège de la CIA à Langley. Pourtant, pour appâter les Américains, le général a livré un plan détaillé du putsch. Un plan assez bien ficelé qui prévoit d'abord l'attaque du sanctuaire de Saddam Hussein, près de Tikrit, par une colonne de chars.

Le général n'ignore pas que le dictateur se réfugie près de son village natal dès qu'il court un danger. Une diversion est donc prévue à Bagdad pour l'obliger à gagner en toute hâte son repaire.

Simultanément, d'autres régiments doivent se soulever. Quant aux Kurdes, ils posent un vrai problème. Les deux principaux partis, l'UPK de Talabani et le PDK de Barzani se livrent une lutte armée et fratricide qui a déjà fait des milliers de morts. Ce dernier entretient les meilleures relations avec Saddam Hussein, ne serait-ce que parce qu'il est son complice dans la contrebande de pétrole. Il risque un jour ou l'autre de faire appel au dictateur pour vaincre son rival. Et si l'armée irakienne intervient dans le nord, c'en est fini de la tentative de putsch.

Robert Baer, ancien agent de la CIA, en poste au Kurdistan[1] :
« En 1995, trois ans et demi après la défaite du dictateur irakien, terrassé par une armée de 500 000 hommes, la CIA, dont c'était pourtant la mission, ne disposait pas en Irak d'une seule source capable de corroborer ou de réfuter les dires du général qui nous avait contactés. Pas une seule ! Et non seulement la CIA n'avait aucune source humaine en Irak, mais dans les pays voisins, Jordanie, Iran, Turquie et Arabie saoudite, aucun agent ne rapportait sur l'Irak ! S'agissant de Bagdad, notre appareil de renseignements était aveugle et sourd. Il allait falloir vérifier la crédibilité du général et la véracité de ses informations par d'autres procédures beaucoup plus laborieuses.

---

1. *La Chute de la CIA – Les Mémoires d'un guerrier de l'ombre sur les fronts de l'islamisme*, Jean-Claude Lattès, 2002.

> *La solution idéale aurait été de rencontrer les officiers qui com-*
> *plotaient contre le régime et de les interroger directement, mais ce n'était*
> *pas possible. L'Irak était ce que la CIA appelait une zone "verrouillée".*
> *Toute communication supposait le recours à des intermédiaires, parce*
> *qu'aucun officier de l'Agence ne pouvait pénétrer dans les régions contrô-*
> *lées par Saddam Hussein. Et comme les militaires irakiens n'avaient pas*
> *le droit de quitter leur pays, ni même de voyager dans le nord, désormais*
> *sous administration kurde, la situation était sans issue. En outre, un offi-*
> *cier de la CIA capturé par les services irakiens était automatiquement*
> *supprimé par immersion dans un bain d'acide – perspective qui avait*
> *de quoi dissuader les audacieux. »*

Langley s'obstine à faire la sourde oreille.

Les conjurés, malgré le lâchage apparent des Américains, décident quand même de tenter le coup. Ils espèrent secrètement que les États-Unis les rejoindront en cours de route. Mais ils sont trahis par le chef kurde Barzani. Celui-ci fait provisoirement arrêter le général, désarme les hommes du CNI de Chalabi et prévient sans doute Saddam Hussein du mauvais coup qui se prépare contre lui.

En effet, tandis que le général est neutralisé, l'armée irakienne se masse le long de la frontière avec le Kurdistan. L'autre chef kurde, Talabani passe aussitôt à l'action. Mais, malgré leur courage et quelques succès, ses combattants ne peuvent pas vaincre l'armée irakienne. Le putsch échoue !

Comme on peut s'y attendre, Saddam Hussein se livre à une sévère purge dans l'armée, ponctuée d'exécutions sommaires. Le général, lui, réussit à rejoindre la Syrie. Quant aux agents de la CIA, ils reçoivent l'ordre de retourner aux États-Unis le plus vite possible. Le chef de cette petite équipe fait même l'objet d'une enquête du FBI, aussi étonnant que cela paraisse. Dans certaines communications radio captées par les grandes oreilles américaines, il aurait fait allusion à l'assassinat de Saddam Hussein. Or, la CIA n'avait plus le droit de participer à des homicides de chefs d'État étrangers. Dès son retour, cet agent est soumis au détecteur de mensonges. Innocenté mais écœuré, il ne tarde pas à quitter l'Agence.

Avec ce départ, la CIA perd un agent de terrain expérimenté qui connaissait particulièrement bien les pays musulmans.

Il n'y aura plus d'autres tentatives, plus ou moins initiées par la CIA, d'essayer de chasser Saddam Hussein jusqu'au 11 septembre 2001. Mais il se présentera au moins une autre occasion où les États-Unis auraient pu intervenir. Il s'agit à nouveau des Kurdes.

Après l'épisode de 1995, la lutte reprend de plus belle entre les deux factions rivales, celles de Barzani et de Talabani. La rivalité est d'autant plus âpre que ce dernier est pauvre car il ne touche rien sur la contrebande de pétrole, tandis que le premier s'enrichit.

En 1996, peu de temps après l'échec du deuxième putsch, la confrontation devient tellement aiguë que Barzani fait appel à Saddam Hussein pour anéantir son adversaire. Le dictateur irakien se fait un plaisir de répondre positivement à cet appel à l'aide. Parce qu'il espère en profiter également pour se débarrasser des dissidents qui ont trouvé refuge au Kurdistan.

En se gardant bien d'utiliser son aviation dans cette zone d'exclusion aérienne qui se trouve en principe sous la protection des Américains et des Britanniques, Saddam Hussein lance une offensive de très grande ampleur. Au mois d'août, quarante mille hommes de la garde républicaine et plus de quatre cents chars envahissent le Kurdistan. Les Irakiens détruisent sur leur passage toutes les installations mises en place par les Kurdes et ils massacrent à tout-va. Combattants, dissidents et civils.

Les Américains n'ont rien vu venir. Leur désarroi est tel que la CIA doit organiser précipitamment la retraite de milliers de ses partisans qui sont transportés par voie aérienne jusqu'à l'île de Guam.

Clinton, en pleine campagne électorale, ordonne une série de frappes aériennes. Mais, curieusement, pas là où ces bombardements auraient été utiles, c'est-à-dire au Kurdistan. Cela montre que les États-Unis, quoi qu'ils en disent, se moquent bien du sort du Kurdistan. Par contre, le sud de l'Irak focalise plus leur attention parce que s'y trouvent la plupart des champs pétroliers en activité. Il s'agit de signifier clairement à Saddam Hussein qu'il lui est interdit de tenter une opération au sud, semblable à celle qu'il vient d'engager au Kurdistan. On ne touche pas à la ressource pétrolière !

Après cette série de frappes très violentes – et très coûteuses –, Saddam Hussein retire ses troupes du Kurdistan, et Clinton, après cette épreuve de force, est réélu très confortablement. Mais il ne peut continuer à rester inerte face à l'Irak. Il agit de plusieurs façons. La plus visible, c'est-à-dire la moins secrète, consiste à obtenir enfin une réconciliation entre les deux factions kurdes. Sous la pression de Washington, les frères ennemis signent un premier accord en 1998.

Ensuite, l'administration de Bill Clinton entend officialiser son intention d'en finir avec Saddam Hussein. Le président américain est d'autant plus décidé que le dictateur irakien vient de renvoyer chez eux les inspecteurs de l'ONU. Sous l'impulsion des républicains, le Congrès américain vote l'« Iraq Liberation Act », une loi qui affirme que la politique américaine doit tout mettre en œuvre pour obtenir le départ de Saddam Hussein et promouvoir l'installation d'un gouvernement démocratique en Irak.

Dans la foulée, un diplomate américain, Frank Ricciardone, est chargé par le Département d'État d'aider les Irakiens à se débarrasser du dictateur. Il s'agit d'une ingérence ouvertement reconnue.

Ce diplomate dispose d'un budget d'une centaine de millions de dollars. La loi votée par le Congrès lui permet de fournir à l'opposition irakienne des moyens de propagande mais aussi des armes prélevées sur les stocks américains et même des instructeurs militaires. D'ailleurs, il est prévu que Ricciardone sera assisté par un état-major civil et militaire.

Tout cela semble sérieux.

Encore faut-il que cette opposition irakienne à laquelle on est prêt à donner tant de moyens soit décidée à s'unir et à agir !

Ricciardone s'assigne donc comme première tâche de réunir les représentants des principaux mouvements. Ce qu'il fait au début de l'année 1999 à Londres. Sont rassemblés des Kurdes, des chiites, des islamistes, mais aussi des monarchistes.

Bien entendu, Chalabi est présent. Mais, depuis l'échec du putsch de 1995, il se contente surtout de faire du lobbying et ses relations avec la CIA se sont distendues.

Quoi qu'il en soit, devant tous ces hommes, Ricciardone expose son idée : il faut que ces opposants recrutent des combattants. Ceux-ci seront entraînés au Kurdistan dans la zone protégée par les États-Unis. Ou bien encore dans des pays voisins hostiles à Saddam Hussein. On s'achemine donc vers la création d'une armée de libération. Et après ?

Le diplomate a retenu deux scénarios. Le premier prévoit une attaque à partir du Koweït. Le deuxième, une série d'actions destinées à supprimer les soixante-quinze officiers supérieurs qui sont à la tête de la chaîne de commandement en Irak. C'est beaucoup plus aléatoire. Même au Pentagone, on trouve ce plan complètement irréaliste et on ricane.

En fait, ce programme ne sera suivi d'aucune application. Ce n'est qu'une gesticulation de plus destinée à occuper l'opinion publique.

Pierre-Jean Luizard[1] :

« L'absence quasi totale de l'Irak dans la campagne présidentielle de 2000 aux États-Unis était due au fait que les campagnes électorales ignorent habituellement les problèmes de politique étrangère et qu'il n'y avait aucun débat sur le dossier irakien. Et s'il n'y avait pas de débat, c'est qu'il y avait un consensus sur le sujet. La surenchère des républicains et du Congrès face à la présidence de Clinton ne doit pas abuser : ni les uns ni les autres n'avaient jamais eu l'intention de se donner les moyens de renverser le régime de Saddam Hussein, et la rhétorique guerrière de part et d'autre relevait avant tout de la propagande électoraliste et du jeu politique. Le vote de "l'Iraq Liberation Act" fut davantage un pavé républicain dans la mare de Clinton qu'une réelle volonté de passer à une étape offensive contre le régime irakien. Ricciardone, le "Monsieur transition démocratique", était généralement considéré comme un "pauvre type" (une expression qui revient souvent le concernant), c'est-à-dire comme quelqu'un sans pouvoir ni moyen. »

À Washington, on sait très bien que les solutions proposées sont inapplicables. Car on dispose maintenant d'informations plus précises

---

1. *Ibid.*

sur l'Irak. Grâce à l'Unscom, la commission d'inspection de l'ONU en Irak.

C'est en 1991, quelques mois après la fin de la guerre du Golfe, qu'à la suite d'un accord avec Bagdad l'ONU envoie en Irak une commission d'inspection. Sa mission est claire : il lui faut repérer les armes de destruction massive et les détruire. Pour ce faire, l'Unscom a le droit d'inspecter tous les sites, d'ouvrir tous les dossiers et d'installer des appareils de surveillance.

Mais pendant sept longues années, Irakiens et inspecteurs de l'ONU jouent au chat et à la souris, les Irakiens multipliant les obstacles pour échapper à ces contrôles et clamant à tout propos, non sans raison, que ces inspections constituent une violation flagrante de leur indépendance nationale.

Toutefois, il existe une autre raison qui explique la mauvaise volonté irakienne : Bagdad soupçonne l'Unscom de dissimuler une véritable opération d'espionnage, menée essentiellement par la CIA.

Il est vrai que dans cette commission d'inspecteurs de l'ONU se trouvent beaucoup d'Américains. Sont-ils pour autant des agents de la CIA ?

Les dés sont biaisés dès le départ. Pour composer cette commission, il fallait faire appel à des experts. Des spécialistes scientifiques mais aussi des hommes rompus aux techniques de recherche du renseignement. Où trouve-t-on ce genre de personnages sinon dans les services secrets ? C'est donc presque naturellement que des agents de la CIA se sont glissés dans l'Unscom.

D'autre part, les inspecteurs, qui travaillent dans des conditions difficiles à cause de l'hostilité permanente des Irakiens, ont besoin de moyens sophistiqués pour vérifier qu'on ne les mène pas en bateau. Des systèmes d'écoutes perfectionnés par exemple. Encore une fois, ce sont des services de renseignement qui possèdent ces matériels. Et en particulier la puissante NSA qui, grâce au réseau Echelon, a déjà tissé une véritable toile d'araignée sur le monde entier.

Ainsi peu à peu il y a eu dérive.

Si certains inspecteurs de l'Unscom travaillent réellement à découvrir les sites des armes secrètes de Saddam Hussein, puis à détruire celles-ci, d'autres se livrent à une véritable opération d'espionnage. Pour dédouaner en partie les Américains, il faut ajouter que ces derniers fournissent aussi à l'Unscom des informations très précieuses captées par leurs systèmes d'observation, satellites ou avions-espions.

Les Américains ont remarqué que les communications irakiennes utilisées par les personnes chargées de l'armement, et donc éventuellement susceptibles de dissimuler les armes secrètes, utilisent un code identique à celui qui est employé par les hommes chargés de la sécurité du président irakien. Par conséquent, s'il est possible de casser ce code, on saura tout sur la sécurité de Saddam Hussein.

C'est ainsi que des agents de la CIA introduisent en Irak, sous couvert de l'Unscom, des scanners très perfectionnés et d'autres appareils d'écoutes sophistiqués. Certains de ces appareils ayant été fournis dans le plus grand secret par les Israéliens.

Le code finit par être cassé. Les Américains ont ainsi accès à des informations très précises sur l'Irak et ses services de sécurité. Mais les Irakiens, à leur tour, découvrent qu'ils sont espionnés.

C'est pourquoi ils demandent que les Américains ne fassent plus partie du corps des inspecteurs de l'Unscom. Ce qui détermine leur chef à décider du départ de tous les membres de la commission de contrôle. Un pas considérable en direction de la deuxième guerre du Golfe !

Fin 1998, un membre démissionnaire de la commission d'inspection, Scott Ritter, mange le morceau et affirme que l'Unscom a permis aux États-Unis d'introduire des espions en Irak. Peu après, Washington confirme avec une habileté certaine et un cynisme évident.

Le Monde, **janvier 1999 :**

« *Les États-Unis ont-ils profité de la commission spéciale de l'ONU chargée de désarmer l'Irak (Unscom) pour espionner Bagdad ? Oui. Est-ce illégal ? Non. C'est en ces termes que les responsables américains à Washington admettent avoir profité de la présence en Irak de l'Unscom, pour recueillir des informations militaires pouvant aider à renverser le régime du président Saddam Hussein. "Qu'est-ce qui vous choque dans cette affaire ?", s'étonne un responsable de haut rang du Département d'État, interrogé mercredi par* Le Monde, *après la publi-*

> *cation d'informations en ce sens par le* Washington Post. *"Que les inspecteurs de l'Unscom fassent de l'espionnage en Irak ? Mais c'est une évidence et c'est prévu dans leur mandat". Et il ajoute : "En avons-nous profité ? La réponse est affirmative".* »

Toutefois, les hommes de la CIA ne se sont pas contentés de faire de l'espionnage. Ils ont tenté aussi des manœuvres de manipulation.

Comme les Irakiens n'ont cessé de semer des obstacles sur la route des inspecteurs de l'ONU, réciproquement, les agents secrets infiltrés se sont aussi livrés à des provocations délibérées pour attiser par exemple la colère des Irakiens. Le résultat, c'est que Bagdad rendait encore un peu plus difficile la tâche des inspecteurs. Cela permettait aux États-Unis et aux Britanniques de répliquer à cette mauvaise volonté par des frappes aériennes. Des représailles qui étaient, si l'on peut dire, autant de piqûres de rappel pour Saddam Hussein !

Cependant, à Washington, on n'était toujours pas décidé à renverser Saddam Hussein. Pour les États-Unis, il importait d'abord que l'Irak, malgré ses divisions internes, tribales, ethniques et religieuses, demeure tel qu'il était, dans ses frontières de l'époque. L'administration Clinton, plus lucide que celle qui lui a succédé, considérait que, si Saddam Hussein quittait le pouvoir, le pays risquait d'éclater. Elle n'a donc jamais sérieusement envisagé de chasser Saddam Hussein.

Par conséquent, jusqu'au départ de Clinton, la lutte contre le dictateur irakien a surtout été un argument de propagande intérieure. Il fallait donner des gages à l'opinion publique américaine en lui montrant qu'on travaillait à la chute du dictateur alors qu'en réalité, il n'en était rien.

Enfin il y avait le pétrole !

Que s'est-il passé lorsque l'Organisation des Nations unies a officiellement entériné l'accord « Pétrole contre nourriture » ? Cela s'est traduit par la mainmise sur les ressources pétrolières irakiennes des sociétés américaines qui achetaient les hydrocarbures et en contrôlaient la production. Cela devait continuer tant que le régime des sanctions restait en place. C'était d'autant plus important pour les Américains que, jusqu'à la guerre du Golfe, ils n'avaient jamais eu accès au pétrole irakien dont l'exploitation était dans les mains d'acteurs non-américains.

Tout a changé depuis les attentats du 11 septembre 2001. Il n'est plus question pour Washington de respecter le *statu quo* mais d'attaquer l'Irak. Parce que les États-Unis se sont engagés dans une croisade antiterroriste qui présente Saddam Hussein comme un allié objectif d'Al-Qaïda. Et sitôt le dictateur irakien chassé du pouvoir, le lobby pétrolier américain, qui a ses hommes à la Maison-Blanche, se sert en priorité.

XII

Le leurre de Ben Laden

Paranoïa ou pas, Al-Qaïda fait toujours peur. Mais Al-Qaïda existe-t-elle ? « La Base », puisque c'est sa traduction en arabe, n'est peut-être qu'une fiction derrière laquelle s'abritent de véritables mouvements terroristes qui n'ont pas de liens structurels entre eux. C'est ce que pensent de nombreux spécialistes.

Pour l'opinion, l'apparition d'Al-Qaïda sur la scène internationale est datée du 11 septembre 2001 avec la destruction des Twin Towers. Mais les services secrets connaissaient depuis déjà quelques années l'existence de cette nébuleuse terroriste dirigée ou inspirée par Ben Laden. Lui étaient particulièrement attribués deux attentats perpétrés en Afrique orientale contre des ambassades américaines. Plus tard, et seulement quelques semaines avant les attentats de New York et Washington, un Français, Jamel Beghal, est arrêté à l'aéroport de Dubai. Pour les services occidentaux, tant français qu'américains, c'est un gros poisson : le chef d'un réseau d'Al-Qaïda qui prépare un attentat contre des intérêts américains à Paris. Son extradition en France permettra de mettre hors d'état de nuire ses complices.

Mais cette arrestation de Beghal n'est pas aussi claire qu'il y paraît. Et ce n'est pas un hasard si elle s'est produite six semaines avant les attentats du 11 septembre.

C'était un secret de Polichinelle. Au début de l'été 2001, les services de renseignement occidentaux savaient que les terroristes islamistes préparaient quelque chose.

En fait, ils s'attendaient à ce qu'une ambassade américaine soit à nouveau frappée. À Washington, on avait par conséquent décidé de renforcer les mesures de sécurité un peu partout dans le monde mais pas forcément aux États-Unis même !

Jusqu'au 11 septembre, les Américains n'avaient jamais imaginé qu'ils puissent être attaqués chez eux. Certes, en 1993, il y avait déjà eu un premier attentat contre le World Trade Center, attentat attribué à la mouvance de Ben Laden. Mais les autorités américaines ne pensaient pas que ça puisse se reproduire.

Cette quasi-certitude que les terroristes allaient frapper incessamment avait été nourrie par un faisceau de renseignements recueillis dans le monde entier. Cependant la clé de l'affaire se trouvait en Afghanistan.

Les Américains, qui avaient largement contribué à la défaite soviétique dans ce pays, poursuivaient un objectif prioritaire : la construction d'un pipe-line qui permettrait d'acheminer le pétrole d'Asie centrale à travers l'Afghanistan. Il leur fallait donc négocier avec les nouveaux maîtres du pays, les talibans, des « étudiants » en religion qu'ils avaient précédemment soutenus, en particulier par l'intermédiaire des services secrets pakistanais. Mais les talibans ne semblaient guère pressés d'accéder à la demande américaine, malgré la manne financière que leur procurerait la construction d'un oléoduc. En fait ce que craignaient ces islamistes étaient d'abord l'influence occidentale en Afghanistan.

Washington avait un autre souci : Ben Laden. Il s'était installé dans le pays et y avait créé des camps où il entraînait ses apprentis terroristes, avec la complicité des talibans. Or, justement, on assistait à la fin des années 1990 à une recrudescence des attentats contre les intérêts américains. Il y avait d'abord eu ces attaques très meurtrières contre deux ambassades américaines situées en Afrique. Attentats qui avaient été immédiatement suivis de représailles : des bombardements aériens sur le Soudan et l'Afghanistan.

Puis, en 1999, un terroriste arabe qui conduisait une voiture bourrée d'explosifs était arrêté à la frontière canadienne. Enfin en 2000, le bâtiment militaire américain *USS Cole* est sévèrement frappé au large du Yémen. À chaque fois, Ben Laden est soupçonné. Les États-Unis veulent donc à tout prix le neutraliser ou au moins le dissuader de poursuivre ses attaques. C'est pour cette raison – mais aussi pour discuter de la question de l'oléoduc – que Washington se décide à engager des négociations directes avec le régime des talibans. Toutefois l'affaire est délicate. Ces pseudo-étudiants ne sont pas très fréquentables. Leur mépris des droits de l'homme, la situation faite aux femmes les a mis au ban de la communauté internationale.

Il est donc impossible de négocier officiellement. Aussi des contacts très discrets sont-ils pris à Berlin. Les délégués américains, fortement poussés par leur lobby pétrolier, proposent aux talibans d'effectuer quelques efforts en matière de droits de l'homme et de leur livrer Ben Laden. En contrepartie, ils leur font miroiter les avantages financiers qu'ils retireraient de la construction du pipe-line. En outre, les Américains promettent de tout mettre en œuvre pour que l'Afghanistan réintègre le concert des nations et bénéficie d'une aide économique importante.

Les talibans ne sont pas très enthousiastes, c'est le moins qu'on puisse dire. Alors les délégués américains haussent le ton : si vous n'acceptez pas nos propositions, nous interviendrons par la force en Afghanistan. Cette menace conduit à la rupture : elle intervient à la fin juillet 2001, et donc quelques semaines avant le 11 septembre.

L'échec de ces négociations avec les talibans ne fait qu'accroître les craintes de Washington. La menace américaine, si elle parvient aux oreilles de Ben Laden, peut inciter les terroristes à frapper préventivement. D'autant que le chef d'Al-Qaïda peut toujours redouter une reprise des négociations entre ses amis talibans et les Américains. Des talibans qui, à terme, pourraient bien être tentés de le lâcher à cause des menaces américaines. Ben Laden doit par conséquent prendre les devants s'il veut ruiner ainsi définitivement toute possibilité d'un accord entre Washington et Kaboul. C'est pourquoi les services secrets américains sont en droit de s'attendre à une attaque imminente.

Il est certain que Ben Laden n'ignore pas qu'en lançant une attaque de grande envergure contre les États-Unis il engage une lutte à mort et que les représailles en Afghanistan réduiront à néant son sanctuaire. Mais c'est le prix à payer pour réaliser la plus grande opération de communication jamais entreprise par une organisation terroriste !

Richard Labévière, rédacteur en chef et éditorialiste de RFI[1] :
« *L'échec de la négociation de Berlin a précipité les événements. Les services pakistanais ont aussitôt transmis la menace d'intervention militaire de Washington à Oussama Ben Laden et à son entourage. Si les attentats de New York et Washington sont en préparation depuis un an déjà, c'est l'imminence d'une opération américaine contre les sanctuaires afghans du milliardaire saoudien qui accélère la fin des préparatifs. Pour des questions de prestige et de crédibilité, les activistes islamistes doivent garder l'initiative. "Frapper avant d'être frappé" : des attentats préventifs, en quelque sorte. C'est l'Égyptien Ayman Al-Zawahiri, le principal lieutenant et médecin personnel du cheikh, qui prend la décision et déclenche la machine infernale.* »

Alors que vient faire le nommé Jamel Beghal, arrêté en juillet 2001 dans les Émirats arabes, dans ce scénario planétaire ? Un mot d'abord sur le personnage. Quand il est arrêté, Beghal a 36 ans. Il est né en Algérie puis il est venu en France avec sa famille. En 1993, il obtient la nationalité française. Il passe avec succès un diplôme universitaire de gestion. Mais il n'exercera jamais le métier pour lequel il s'est préparé. On le verra même travailler sur les marchés entre deux périodes de chômage.

Marié avec une Française qui lui a donné deux fils et s'est convertie à l'islam, il vit alors à Corbeil-Essonne dans un HLM où, à l'unanimité, ses voisins le trouvent sympathique et serviable. Musulman pratiquant, il a d'abord été très influencé par un homme qui a beaucoup fait parler de lui : Tariq Ramadan. Toutefois, ce n'est pas la seule influence que subit le jeune Beghal. Il se rapproche d'un mouvement islamiste encore plus radical, le Tabligh. Ce sont les militants de cette obédience qui lui font découvrir des cassettes sur le combat des moudjahiddin afghans et l'endoctrinent : le devoir d'un musulman, c'est le jihad, la guerre sainte contre les infidèles.

---

1. *Les Coulisses de la terreur*, Grasset, 2003.

Beghal voyage en Europe, rencontre d'autres islamistes. Ça lui vaut d'être repéré par la police. En 1994, à l'occasion des grandes rafles dans les milieux terroristes algériens du GIA, Beghal est arrêté. Cependant, comme on n'a pas grand-chose à lui reprocher, il est libéré au bout de trois mois. Mais désormais, il est fiché.

Après sa libération, Beghal continue à voyager. Il se rend en particulier en Allemagne où il fait la rencontre d'autres islamistes. Ceux-là appartiennent à une organisation encore plus extrémiste, le Takfir. Toutefois c'est en Grande-Bretagne, après avoir quitté précipitamment Corbeil-Essonne avec femme et enfants, que Beghal trouve sa voie et fait la connaissance de gens qui décideront de son destin. Londres est en effet devenu la plaque tournante de l'islamisme le plus radical. Si radical même que certains spécialistes l'ont rebaptisé le Londonistan car on y trouve les prédicateurs les plus anti-occidentaux.

À l'époque, mais ça a changé, la police britannique préfère surveiller ces gens plutôt que d'en faire des clandestins. Une politique jugée trop laxiste par les partenaires de la Grande-Bretagne qui considèrent que tous ces islamistes activistes sont en réalité la partie émergée d'Al-Qaïda, sa branche théorique. Ce qui n'empêche pas les services britanniques d'infiltrer certains de ces groupuscules islamistes. D'ailleurs, l'un des imams dont Beghal reçoit l'enseignement était vraisemblablement un informateur du MI5, le service britannique de renseignement intérieur. Et il a joué un rôle dans l'arrestation de Beghal à Dubai.

À Londres, le jeune homme subit donc une formation théorique. Un endoctrinement qui s'apparente au lavage de cerveau pratiqué par certaines sectes. Beghal a alors deux mentors. Le premier est cet imam dont beaucoup de spécialistes du renseignement pensent qu'il est manipulé par les services spéciaux britanniques : Abou Qatada est un Palestinien condamné à mort en Jordanie pour sa participation à plusieurs attentats contre des Américains. En Grande-Bretagne, il a été arrêté à de nombreuses reprises. Mais à chaque fois, il a été remis en liberté. Ce qui laisse penser qu'il était réellement un informateur des services britanniques. Il faut ajouter que cet homme disparaîtra après les attentats du 11 septembre et ne refera surface qu'après une longue absence à l'issue de laquelle il sera mis à l'ombre par la police. Prisonnier ou protégé ?

Quoi qu'il en soit, ce Qatada n'a jamais fait mystère de sa sympathie pour Ben Laden. Ses prêches incendiaires ont eu beaucoup d'échos dans la communauté musulmane de Grande-Bretagne.

Le second mentor de Beghal est aussi un Palestinien, un certain Abou Walid. Cet ancien du jihad en Afghanistan a de nombreux contacts au Pakistan. Beghal lui voue une grande admiration.

L'enseignement qui est dispensé au jeune homme n'est pas seulement théorique. Beghal apprend aussi à fabriquer de faux papiers et est chargé de recruter d'autres militants ou encore de recueillir des dons pour la cause. Dons centralisés par ce Walid. Cependant ce n'est pas encore assez pour cet adepte enthousiaste. Il brûle d'envie de faire ses preuves : tôt ou tard il doit rejoindre le cœur actif de la révolution islamiste, l'Afghanistan !

En 2000, Beghal fait ses valises. Toujours accompagné par sa famille, il part pour le Pakistan. Puis il est conduit à travers les montagnes vers un camp militaire afghan. Mais auparavant – cela explique sans doute que Beghal n'ait pas hésité longtemps à effectuer ce long voyage – il a eu quelques ennuis avec la police britannique pour avoir aidé un ami marocain divorcé à enlever ses enfants et à les conduire au Maroc.

Le camp d'entraînement où il s'installe est situé dans les environs de Kandahar et dirigé par un proche de Ben Laden, un nommé Abou Zoubeïda. Algérien et vétéran des combats islamistes, il a déjà formé des combattants envoyés ensuite en Bosnie et en Tchétchénie. Spécialiste de la guérilla urbaine et de l'utilisation des explosifs, il a sans doute été impliqué dans des attentats contre les ambassades américaines en Afrique orientale.

Sous la férule de ce spécialiste, Beghal apprend donc le maniement des armes et des explosifs. Une formation paramilitaire de quelques mois. Il bénéficie aussi d'un entraînement aux techniques de l'espionnage.

Jean-Marie Pontaut et Marc Epstein, journalistes[1] :
« *Beghal, affublé du nom de guerre d'Abou Ahmed, s'entraîne donc dans le "camp libre" de Kaboul, selon sa propre expression. Une for-*

---

1. *Ils ont assassiné Massoud – Révélations sur l'internationale terroriste*, Robert Laffont, 2002.

mation de base : initiation au tir au pistolet et au kalachnikov. Après quinze jours de cet entraînement "fondamental", Beghal retourne voir son parrain, El-Walid, pour lui demander à nouveau conseil. Son mentor, fier de son élève, lui glisse à l'oreille qu'une opération secrète est en préparation et qu'il pourrait y participer. Mais pour cela il doit suivre un entraînement spécial dans un camp réputé aux environs de Kandahar, capitale spirituelle de l'Afghanistan des talibans, et lieu où réside le mollah Omar.

Début mars 2001, selon ses déclarations à la police de Dubai, Beghal pénètre ainsi dans le saint des saints : le camp de l'aéroport. Sous la direction d'un Algérien, qui a eu la main droite amputée à la guerre, les stagiaires apprennent à se servir d'une grenade, d'une mine, d'un lance-roquettes. Mais ce centre, réservé à l'élite des jihadistes, ne dispense pas seulement une formation de fantassins. Il fabrique surtout des terroristes. Les élèves apprennent à assembler des bombes et à utiliser des minuteurs : une simple montre Casio, expliquent les instructeurs, peut servir de détonateur à distance. Le camp de l'aéroport possède aussi une autre caractéristique, beaucoup plus rare. C'est ici que sont entraînés les candidats aux missions suicide. »

Au printemps 2001, Zoubeïda lui apprend que le temps de l'action est venu. Jamel Beghal est chargé d'une opération de grande envergure : la préparation d'un attentat contre l'ambassade des États-Unis à Paris !

Cette enceinte diplomatique proche de la Concorde est particulièrement surveillée et protégée. Le plan prévu est classique : un kamikaze doit forcer l'entrée du bâtiment avec un véhicule bourré d'explosifs et se faire sauter avec ce véhicule piégé.

Beghal ne sera pas au volant mais doit organiser matériellement l'attentat. Une mission de confiance qui, incontestablement, flatte l'ego du jeune homme. Le petit militant islamiste de banlieue devient enfin un personnage important du jihad.

Il est prévu que Beghal rejoigne Paris en passant par le Maroc où on lui remettra une grosse somme d'argent. Il profitera de cette escale marocaine pour se débarrasser de son passeport et en demander un nouveau à l'ambassade de France afin d'effacer toute trace de son passage au Pakistan et en Afghanistan. Une fois en France, Beghal doit créer une entreprise générale d'entretien et acheter un véhicule commercial. Une bonne couverture pour effectuer les repérages indispensables autour de l'ambassade américaine. Il doit aussi faire des photos des lieux et les transmettre par Internet en Afghanistan *via* un complice qui opérera depuis un cybercafé. De loin, c'est Zoubeïda qui pilotera l'opération et donnera le feu vert final.

Le candidat au suicide est un Tunisien, un nommé Trabelsi. Cet ancien footballeur professionnel établi en Belgique a sombré dans la drogue mais a été récupéré par l'islamisme. Beghal le connaît : il l'a déjà rencontré au cours de ses voyages en Europe. Trabelsi doit aussi acheminer les explosifs en France.

En outre, Beghal peut compter en France même sur quelques amis ou parents qui lui sont dévoués et éprouvent une véritable admiration pour son engagement.

Le jeune islamiste est donc prêt et n'attend que le signal du départ.

Enfin, au beau milieu du mois de juillet 2001, cet ordre arrive. Pour bien lui montrer l'importance qu'on accorde à sa mission, Zoubeïda lui remet des cadeaux personnels d'Oussama Ben Laden : un chapelet, un flacon d'encens et… un cure-dents ! Un objet de grande valeur pour le chef d'Al-Qaïda et les siens.

Beghal s'envole donc pour le Maroc où il doit recevoir ce pactole qui doit lui permettre de financer l'attentat. Muni d'un passeport français falsifié mais qui paraît tout à fait authentique, le terroriste est très confiant : Zoubeïda semble avoir tout prévu.

À l'escale de Dubai, les policiers s'intéressent beaucoup à son passeport. Selon la version officielle de la police des Émirats, ces zélés fonctionnaires s'aperçoivent qu'il s'agit d'un faux document. Aussitôt, Beghal est appréhendé.

En réalité cette histoire de passeport est bidon. Les dés sont pipés. Le jeune Français est attendu à Dubai et on sait parfaitement qui il est.

Beghal a donc été trahi !

Une fois arrêté, l'apprenti terroriste parle d'abondance. Les policiers émiratis ont-ils usé de méthodes très radicales, comme la torture ? Ou ont-ils demandé l'aide de bons et persuasifs imams qui seraient venus le visiter dans sa cellule afin de lui expliquer qu'un bon musulman ne pouvait pas être un terroriste ? En tout cas le jeune homme aurait craqué.

Mais il y a une troisième hypothèse encore plus crédible : on lui a simplement raconté la vérité. Lorsque Beghal a compris que c'étaient les siens qui l'avaient donné, cela a suffi à lui délier la langue. Et c'était prévu : il devait parler !

La nouvelle de l'arrestation de Beghal est assez rapidement rendue publique. Naturellement, les Américains sont prévenus en priorité puisque, d'après ses aveux, Beghal allait s'attaquer à l'ambassade américaine de Paris.

Les Français sont informés peu après : Beghal est français et l'attentat devait avoir lieu en France. L'impétueux juge Bruguière se rend aussitôt à Dubai, réclame l'extradition de Beghal et l'obtient assez facilement. En septembre 2001, interrogé en France, Beghal revient en partie sur ses aveux. Ça n'a plus guère d'importance : entre-temps, les deux tours du World Trade Center ont été détruites !

Alors revenons un tout petit peu en arrière. Première conséquence immédiate des révélations de Jamel Beghal : les services américains, confortés dans leur idée qu'ils allaient bientôt être frappés par Al-Qaïda, renforcent encore la sécurité autour de leurs ambassades. Deuxième conséquence, dans plusieurs pays européens, les complices de Beghal sont arrêtés. Le footballeur tunisien est appréhendé en Belgique. On trouve chez lui des produits chimiques qui auraient pu servir à fabriquer une bombe. D'autres comparses sont interpellés aux Pays-Bas, dont deux Savoyards convertis à l'islam. Des arrestations sont également opérées en France dans la banlieue sud de Paris, là où vivait Beghal. Ainsi, quelques proches, dont son beau-frère, sont mis sous les verrous. Tout un réseau est démantelé.

Et là encore, c'était prévu.

Beghal a été trahi par les siens, ces types d'Al-Qaïda qui lui avaient ordonné de perpétrer un attentat contre l'ambassade américaine de Paris.

Il s'agissait d'attirer l'attention de la CIA sur les dangers extérieurs qui menaçaient les intérêts américains afin de permettre à une autre équipe de préparer tranquillement les attentats de New York et de Washington.

Jamel Beghal n'a donc été qu'une sorte de leurre. Un leurre d'autant plus crédible qu'il n'était pas seul et qu'il appartenait à un réseau européen. Une véritable toile d'araignée islamiste possédant les moyens de perpétrer un attentat.

Toutefois, si on regarde la réalité en face, il faut bien admettre que ce réseau n'était constitué que de petites mains. Le footballeur tunisien, par exemple : un ancien drogué, incapable de tenir sa langue et qui avait même confié à ses proches qu'il allait commettre un attentat ! Est-ce qu'un professionnel du terrorisme, comme les hommes qui vont détourner les avions et frapper les Twin Towers, se serait laissé aller à de telles imprudences ? Bien évidemment, non.

Quant aux autres membres du réseau ils sont plus ou moins du même acabit même s'il y avait parmi eux des gens déterminés. Des illuminés prêts à passer à l'action.

Par conséquent, ce réseau pouvait être sacrifié sans grands dommages.

Mais quelles preuves apporter ?

Au début du mois de juillet 2001, trois semaines avant l'arrestation de Jamel Beghal, un personnage sulfureux arrive à Dubai dans la plus grande discrétion. Et sous un faux nom, bien sûr.

Il s'agit de Ben Laden ! Malade, il vient subir des soins dans l'hôpital américain de cet émirat, un établissement qui jouit d'une excellente réputation. Depuis longtemps déjà, Oussama Ben Laden souffre d'une maladie des reins et il vient consulter un spécialiste mondialement connu. Ça n'est d'ailleurs pas la première fois que Ben Laden vient se faire soigner dans l'émirat. Mais là n'est pas l'important. Ce qui compte, c'est qu'il reçoit une curieuse visite, celle du chef du poste de la CIA à Dubai. Alors même que Ben Laden est déjà considéré comme l'ennemi numéro un des États-Unis.

Le rendez-vous a sans doute été organisé par les services de renseignement de Riyad. Des services qui ont toujours gardé d'excellentes relations avec Ben Laden, même si celui-ci a été déchu de sa nationalité saoudienne.

À l'époque, ne l'oublions pas, les talibans et des délégués américains discutent secrètement. Ils vont même bientôt se revoir à Berlin. Au menu de ces discussions, il y a le sort de Ben Laden. Ce dernier peut craindre que les talibans, sous la pression des États-Unis, ne finissent par le lâcher et même le remettre aux Américains. Alors, de lui-même, Ben Laden aurait pu faire une proposition à cet agent de la CIA : j'arrête les attentats et, en contrepartie, vous me fichez la paix. Et en gage de bonne volonté, Ben Laden aurait offert de livrer l'un de ses réseaux, celui auquel appartenait Beghal !

Ben Laden repart pour l'Afghanistan à la mi-juillet. Deux semaines plus tard, Beghal est arrêté à Dubai.

Bien entendu, Ben Laden n'avait nullement l'intention de signer la paix avec les États-Unis. Mais il avait encore besoin d'un peu de temps avant de lancer sa grande opération, les attentats du 11 septembre. Et il a sans doute aussi décidé de précipiter les événements quand ses amis talibans lui ont dit que Washington était résolu à user contre lui de la manière forte. Par conséquent, il lance dans les pieds des Américains ce magnifique leurre qui se révèlera d'une efficacité redoutable. Les services américains ne verront rien venir avant le 11 septembre.

La Maison-Blanche prendra sa revanche en intervenant militairement en Afghanistan et en détruisant pratiquement toutes les structures militaires d'Al-Qaïda. Ben Laden savait qu'il en serait ainsi tôt ou tard. Mais Al-Qaïda, dont Ben Laden ne s'est d'ailleurs jamais officiellement réclamé, n'est pas une organisation pyramidale avec un chef et un état-major. C'est une nébuleuse de petits mouvements indépendants qui ne sont unis que par leur même inspiration islamiste, la haine de la civilisation occidentale en général et des États-Unis en particulier.

Il est donc exact que les structures militaires, les camps par exemple, ont été détruites en Afghanistan. Mais il existe de par le monde toute une série d'organisations qui revendiquent la même idéologie et perpétue des attentats. Sans que Ben Laden leur ait donné l'ordre d'agir. Des organisations qui d'ailleurs ont souvent été d'abord instrumentalisées par les services spéciaux locaux et la CIA avant de se retourner contre les États-Unis.

Au fond la pseudo-existence d'Al-Qaïda rend bien service aux Américains. La lutte contre la pieuvre mythique leur permet de fonder leur croisade planétaire contre le Mal. Et aussi de redéployer leurs forces dans le monde.

> **Richard Labévière**[1] :
> [Confidence recueillie auprès d'un spécialiste français du contre-terrorisme]
> « *Nous sommes à peu près sûrs que l'arrestation de Dubai a bel et bien été provoquée par Abou Zoubeïda lui-même pour couvrir la logistique des attentats du 11 septembre 2001.* »
> **Alain Chouet, ancien chef du service de sécurité de la DGSE**[2] :
> « *En ce qui concerne Beghal, il a probablement été arrêté sur la base d'informations provenant d'Al-Qaïda. Il pourrait s'agir d'une manœuvre de désinformation de l'état-major de Ben Laden visant à monopoliser l'attention des services occidentaux sur l'Europe pour couvrir la préparation du 11 septembre.* »

---

1. *Ibid.*
2. Interview accordée à Christophe Dubois, journaliste du *Parisien*, 2001.

XIII

Le mythe Carlos

C'était le « grand méchant loup » ! Carlos ! Le terroriste numéro un. Omniprésent, omnipuissant. L'homme qui osait adresser des lettres manuscrites et menaçantes signées de ses empreintes digitales à notre ministre de l'Intérieur afin d'obtenir la libération de ses comparses. Et qui, en l'absence de réponse positive, passait à l'acte et perpétrait des attentats meurtriers en France. Carlos, trait d'union entre les divers mouvements terroristes, Bande à Baader, Brigades rouges, Front populaire pour la libération de la Palestine, Armée rouge japonaise, Action directe, etc. Une internationale de la terreur dont ce Vénézuélien, Illitch Ramirez-Sanchez de son vrai nom, aurait été le chef d'orchestre et parfois le bras armé. Comme le furet de la chanson, on croyait le voir partout. Dans les hôtels internationaux, dans les aéroports, toujours très élégant, un cigare au bec et inévitablement entouré de jeunes et jolies femmes. Bref le play-boy du terrorisme !

Et puis, après la chute du Mur, il mène une vie d'errance, rejeté peu à peu par ses anciens protecteurs. Jusqu'à son arrestation en 1994 à Khartoum. Une capture qui reste encore à bien des égards mystérieuse. Pourquoi le gouvernement soudanais, fer de lance de l'islamisme et réputé soutenir le terrorisme international, l'a-t-il soudain lâché ? Comment a-t-il pu laisser faire les agents français qui ont profité d'une banale opération pour se saisir d'un Carlos amoindri et sans doute drogué ? Les médecins soudanais étaient-ils complices ? Et quel prix la France a-t-elle payé ?

Carlos, qui purge en France une peine de réclusion à perpétuité, est-il à la hauteur de son mythe ? N'est-il pas d'abord une création médiatique, même si ses crimes, eux, sont bien réels ?

Carlos n'a jamais raté une occasion de faire sa publicité. Il a même confié à l'un de ses anciens complices : « Plus on parle de moi, plus j'ai l'air dangereux et mieux c'est pour moi ! »

Terroriste à la retraite forcée, Carlos aime beaucoup l'argent et les facilités qu'il offre. Une journaliste du *Nouvel Observateur* a même écrit : « Carlos, un pied dans le luxe, un autre dans la révolution. »

En soignant sa publicité, Carlos fait aussi monter le prix de ses services. Militant révolutionnaire, il devient peu à peu un mercenaire qui vend ses « talents » au plus offrant. Généralement à des États qui le paient pour commettre des attentats et parfois même des assassinats. Il n'est donc plus question d'idéal, même si c'est principalement pour des pays arabes ou islamiques qu'il travaille.

Deuxième observation : pour les Français, la capture ou l'élimination du « Chacal », comme on l'a surnommé, était un objectif très important à cause du triple assassinat de la rue Toullier : deux inspecteurs de la DST tués et un troisième grièvement blessé ! La DST, notre service de contre-espionnage, était par conséquent prête à tout mettre en œuvre pour retrouver Carlos. Quitte à bafouer quelques principes dont celui qui veut que le service ne peut agir qu'à l'intérieur de nos frontières.

Rue Toullier, à Paris, les policiers de la DST étaient en effet tombés dans un véritable piège tendu par le Mossad. Les policiers, mais aussi Carlos.

Ce soir de juin 1975, Illitch Ramirez-Sanchez a l'intention de faire la fête. Il a toujours aimé la bonne vie, l'alcool et les jolies filles. Mais il s'est aussi servi de son image de play-boy. Comment imaginer que ce type qui buvait, draguait, dépensait sans compter était en réalité un dangereux terroriste ? Il ne faut pas oublier non plus que toutes ces filles qu'il séduisait lui rendaient aussi beaucoup de services. Leurs appartements étaient autant de planques !

Carlos, une bouteille de whisky à la main, se rend rue Toullier à Paris dans un studio loué par deux de ses amies, Maria Lara et Nancy. Se trouvent là quelques étudiants des deux sexes, tous sud-américains. C'est un pot d'adieu. L'une des filles, Nancy, retourne chez elle, au Venezuela !

Donc, on boit, on danse, dans une ambiance typiquement sud-américaine.

Soudain, on frappe à la porte. L'une des jeunes filles va ouvrir. Derrière la porte, il y a deux hommes. Deux policiers qui se présentent comme tels et montrent leurs cartes de la DST. Il y a là un commissaire principal, Jean Herranz, et un inspecteur, Raymond Dous. Tout le monde montre gentiment ses papiers d'identité, Carlos y compris, qui possède de parfaits faux documents.

La tension commence réellement à monter lorsque les policiers entreprennent de questionner Carlos et lui mettent des photos sous le nez. On y voit le Vénézuélien en compagnie d'un Libanais, Michel Moukharbal, un homme que la DST soupçonne d'être un terroriste palestinien.

Carlos nie de la façon la plus formelle connaître cet homme et menace d'en appeler à son ambassadeur. Alors le commissaire, après avoir vérifié que Carlos n'est pas armé, demande à son inspecteur d'aller chercher Moukharbal qui attend dans la rue en compagnie d'un autre policier. Cinq minutes plus tard, le Libanais apparaît, suivi de l'inspecteur Dous et d'un autre policier, Donatini.

Dès que Moukharbal pénètre dans la pièce, le commissaire l'apostrophe : « Connaissez-vous quelqu'un dans cette pièce ? » Aussitôt, il désigne du doigt Carlos. Celui-ci dégaine un pistolet et tire ! Avant la fouille, le terroriste a dû dissimuler l'arme dans la pièce et s'en est emparé à l'insu du commissaire.

Carlos tire à quatre reprises. D'abord sur Moukharbal puis sur les trois policiers de la DST. Puis il ramasse ses douilles et disparaît. Bilan, trois morts, les deux inspecteurs et le Libanais. Et un blessé, le commissaire Herranz.

Si les policiers n'ont pas riposté, c'est qu'ils n'étaient pas armés. Ils sont tombés dans un piège. Moukharbal, authentique cadre du FPLP, l'organisation palestinienne de Georges Habache et Wadi Haddad, a été retourné par le Mossad. Interpellé par la DST dès son arrivée en France, il a proposé aux policiers de les mettre en relation avec un important terroriste.

Étrangement, lorsque les hommes de la DST se présentent rue Toullier, ils estiment ne rien avoir à craindre. Mais Carlos, dès qu'il voit apparaître Moukharbal avec les inspecteurs de la DST, comprend très vite qu'il a été trahi. Il tire aussitôt. Cette violente réaction était prévue dans le scénario élaboré par le Mossad qui n'ignorait pas que Carlos était toujours armé.

Les Israéliens ne supportaient plus que la France soit une terre d'asile pour les Palestiniens ! Il existait même un accord tacite entre les organisations palestiniennes et les autorités de notre pays : tant que la France demeurait un sanctuaire, la police laisserait en paix les militants présents sur notre sol.

Le massacre de la rue Toullier pouvait apparaître comme une sérieuse entorse à cet accord. En faisant tuer des policiers français par Carlos, puis en orchestrant ensuite une véritable campagne de publicité sur les réseaux terroristes, les Israéliens étaient sûrs de contraindre la France à agir ! Et donc à s'attaquer directement aux réseaux palestiniens implantés sur son territoire.

Il restait que venait d'apparaître sur la scène internationale du terrorisme un nouveau personnage. Un type redoutable et capable du plus grand sang-froid. Un nouvel ennemi public.

Autant pour donner des gages à l'opinion publique que pour satisfaire le désir de vengeance des policiers, il a été décidé d'essayer par tous les moyens de retrouver Carlos. Car Mossad ou pas Mossad, c'était lui l'assassin, le tueur de flics ! Il fallait savoir d'où il venait.

Roger Wybot[1] :

« Cette affaire de la rue Toullier, je ne la comprends pas. Elle est en contradiction formelle avec les instructions que j'avais données lorsque je dirigeais la Surveillance du territoire. Même pour des opérations de routine, il était de règle que les fonctionnaires soient armés. Je suis également étonné que l'équipe ne soit pas arrivée sur place avec une voi-

---

1. Interview à *France-Soir*, 1975. Wybot a été le patron tout-puissant de la DST, de la Libération jusqu'au retour du général de Gaulle au pouvoir.

> *ture et un chauffeur qui ait attendu dans la rue la fin de l'opération.*
> *Il y a peut-être des raisons spéciales très supérieures et très compliquées.*
> *Mais tout de même, les méthodes employées me paraissent très inhabi-*
> *tuelles… »*

Le jeune Illitch Ramirez-Sanchez, né en 1949, est issu d'une famille de la bourgeoisie vénézuélienne. Son père est un avocat aisé mais aussi un marxiste convaincu, d'où ce prénom, Illitch, donné à son fils en hommage à Lénine. Pour autant, le jeune homme vit une existence de gosse de riche. A-t-il, comme on l'a prétendu, fait le voyage de Cuba où il aurait séjourné dans un camp d'entraînement ? Mystère ! Carlos a en tout cas toujours nié. Et, au fond, peu importe ! Ce qui compte, c'est que le jeune Illitch a épousé les idées de son père, tout en menant la belle vie au Venezuela puis à Londres où sa mère, divorcée, s'est exilée avec ses trois enfants.

Puis on le retrouve à Moscou où, après ses études secondaires, il rejoint l'université Patrice-Lumumba. Un établissement qui, à l'époque, est un creuset tiers-mondiste et même révolutionnaire ! On y trouve en effet beaucoup d'étudiants venus du monde entier qui, de retour chez eux, vont s'engager dans la lutte politique.

Moscou, après Londres, ce n'est pas folichon. Carlos s'ennuie, même s'il ne renonce pas à sa vie de bambocheur. Ce qui lui vaudra d'ailleurs d'être renvoyé de l'université. Toutefois, une question se pose : officiellement, Carlos est donc viré parce que c'est un fêtard. Mais est-ce que ça ne cache pas un recrutement par le KGB, par exemple ? Qui pourrait soupçonner un agent derrière ce type qui ne pense qu'à faire la fête ?

Les Américains, qui ont toujours tendance à voir le diable partout, sont persuadés que Carlos a été recruté par les Soviétiques. Car à l'époque, celle de la guerre froide, tout militant révolutionnaire était *a priori* soupçonné d'être téléguidé par Moscou.

Plus sérieusement, il a rencontré à Moscou des militants du FPLP, le Front populaire pour la libération de la Palestine. Des Arabes radicaux qui ont déjà choisi la voie terroriste !

Quoi qu'il en soit, le jeune homme regagne Londres. Mais dès cette époque, le tout début des années 1970, Carlos, qui a repris sa joyeuse vie d'antan, se rend fréquemment au Proche-Orient et fait des offres de service à ses amis rencontrés à Moscou.

Pourquoi Carlos a-t-il choisi la cause palestinienne ? Il a toujours proclamé – et encore aujourd'hui – qu'il était un soldat de la Révolution, en lutte contre l'impérialisme et le colonialisme. Et il a très vite considéré, et il était loin d'être le seul, que la lutte contre Israël était une étape décisive dans ce combat mondial.

Ni palestinien ni même arabe, Carlos est une recrue de choix pour les chefs du FPLP. Il passera plus facilement inaperçu lorsqu'il exécutera des actes terroristes. Autre qualité qu'on lui reconnaît : son don pour les langues. À Moscou, il a appris le russe mais il parle aussi couramment l'anglais et le français. Même son goût pour le luxe ou la vie facile ne rebute pas les dirigeants palestiniens : son image de play-boy fortuné est une excellente couverture pour un terroriste international !

Il lui est aussitôt proposé d'effectuer un stage de formation dans un camp du FPLP installé au Liban. Entraînement au maniement des armes et des explosifs, tests d'aptitude physique et apprentissage des sports de combat. Le terroriste empâté dont on a vu les photos après sa capture est alors un jeune homme svelte et sportif.

Assez vite, Carlos prend du galon au sein de l'organisation. Il est même affecté au fer de lance du FPLP, un groupe clandestin connu en Occident sous l'acronyme « COSE », Commandement des opérations spéciales à l'étranger. Une structure placée sous l'autorité d'un Algérien, Mohammed Boudia. Un intellectuel, directeur de théâtre, qui sera ensuite assassiné à Paris par le Mossad. À la mort de ce Boudia, en juin 1973, un certain Moukharbal lui succède. Carlos devient son bras droit. Il est d'abord chargé, au nom de l'organisation, de prendre des contacts avec d'autres groupes révolutionnaires, en Allemagne, en Italie et même au Japon où sévit l'Armée rouge japonaise.

Le FPLP tente alors de constituer une internationale du terrorisme et de l'action révolutionnaire. Carlos noue en particulier des relations avec des militants allemands, plus ou moins proches de la Fraction armée rouge. Parmi eux, il y a sa future épouse, Magdalena Kopp.

En attendant de passer à l'action, il vit à Londres, toujours avec sa mère. Et c'est dans la capitale anglaise qu'il doit exécuter sa première mission violente. Il doit assassiner Joseph Sieff, dirigeant des magasins Marks & Spencer et président du Congrès juif britannique.

Carlos réussit à s'introduire chez Sieff et lui tire une balle en pleine tête. Puis il quitte tranquillement les lieux.

Miraculeusement, le chef d'entreprise survit : le projectile a été dévié par l'os de la mâchoire. Malgré l'échec de cet assassinat, c'est le sang-froid avec lequel il a agi qui force l'admiration de ses commanditaires du FPLP. Reconnu comme homme d'action, il a aussi la carrure d'un futur chef.

En 1974, Carlos participe à de nombreuses actions terroristes et parfois même les initie. Il commence par piéger des voitures devant trois organes de presse à Paris. Puis c'est la prise d'otages à l'ambassade française de La Haye par un commando japonais. Carlos ne se trouve pas sur place mais il a fourni les grenades. Quelques jours plus tard, il exécute lui-même l'attentat contre le Drugstore Saint-Germain. Il y a deux morts et de nombreux blessés. Le terroriste voulait faire pression sur les autorités françaises dans l'affaire de La Haye.

Enfin, au début de 1975, il est mêlé à un autre attentat à l'aéroport d'Orly. Wadi Haddad a envoyé à Paris trois Palestiniens formés au maniement du bazooka. Deux mois plus tôt, à la tribune des Nations unies, Arafat vient d'annoncer qu'il renonce à la lutte armée. Pour le FPLP, c'est une trahison ! Il faut absolument faire capoter d'éventuelles négociations avec Israël.

Le commando envoyé par Haddad doit détruire un avion d'El Al avant son décollage et donc avec ses passagers. Carlos s'occupe de la logistique et doit récupérer les terroristes après l'action. Un certain Johannes Weinrich conduit les Palestiniens de Francfort à Paris. Weinrich, qui deviendra ensuite l'un des plus proches lieutenants de Carlos. Ce libraire allemand est membre des cellules révolutionnaires. Il est aussi accessoirement le compagnon de Magdalena Kopp, la future épouse de Carlos.

Les Palestiniens, armés de leur bazooka, arrivent à pénétrer sur la terrasse qui domine l'aérodrome. Le tireur vise l'avion d'El Al. Mais c'est un appareil yougoslave vide de passagers qui se trouve derrière l'avion israélien qui est touché et explose.

Cet attentat restera longtemps un mystère pour la police qui cherchera d'abord une piste dans les Balkans.

Les terroristes ont donc échoué. Mais, en plein accord avec Carlos, ils sont décidés à récidiver ! Et au plus vite. Trois jours plus tard, ils se trouvent à nouveau sur la terrasse d'Orly avec leur lance-roquettes.

Mais la présence policière a été renforcée après le premier attentat. Presque inévitablement, les trois Palestiniens se font repérer. Pour s'échapper, ils tirent dans la foule et prennent quelques otages. Finalement, le ministre de l'Intérieur, Poniatowski, craignant un bain de sang, accepte de les laisser monter dans un avion à destination du Proche-Orient.

Quelques mois plus tard, c'est la fusillade de la rue Toullier. Si elle a causé la mort de trois hommes, cette affaire permet à la police de mettre au jour l'existence d'un véritable réseau FPLP en Europe. Les enquêteurs remontent en effet les pistes, découvrent des documents, des armes, tandis que Carlos coule des vacances heureuses en Algérie et se donne du bon temps. Un peu trop sans doute : lorsqu'il retrouve ses chefs au Yémen, on se moque de son tour de taille et on l'invite fermement à reprendre l'entraînement. Plus sérieusement, ces retrouvailles sont houleuses. L'impétuosité de Carlos rue Toullier a coûté très cher : la destruction d'un réseau et une surveillance accrue dans les aéroports. Le jeune homme ne se démonte nullement : brandissant des articles de journaux, il se vante de sa nouvelle popularité. « Le Chacal », comme on l'appelle désormais, est devenu une vedette du terrorisme. Ça ne peut que servir la cause palestinienne !

Ce raisonnement ne convainc pas Wadi Haddad qui commence à se méfier de ce personnage mégalomaniaque. Il n'empêche qu'il lui confie la mise en œuvre de la prochaine action du mouvement : une prise d'otages lors d'une réunion à Vienne de l'Opep, l'organisation des États producteurs de pétrole. Les États arabes qui en font partie sont accusés de ne pas aider suffisamment leurs frères palestiniens.

Kadhafi a proposé de financer l'opération. À condition que deux délégués soient tués, l'Iranien et le Saoudien ! Carlos est chargé de l'organisation militaire de l'opération et du recrutement du commando, tandis qu'un Libanais, Anis Naccache[1], s'occupera des aspects politiques.

Le commando, composé de Palestiniens et d'Allemands des cellules révolutionnaires, a reçu de Carlos des ordres stricts : toute personne s'opposant à leur action doit être immédiatement abattue. C'est ce qui se passe presque aussitôt. Déjà deux morts alors que les terroristes, ce 21 décembre 1975, viennent tout juste de pénétrer dans l'immeuble de l'Opep.

Ensuite, le commando prend en otage onze ministres et une vingtaine d'autres personnes. Carlos, supplantant Naccache, négocie avec le chancelier autrichien et obtient un avion dans lequel montent les otages. Direction Tripoli. Mais, curieusement, les Libyens n'autorisent pas l'atterrissage alors qu'ils ont financé l'opération.

Au dernier moment, Kadhafi n'a pas voulu assumer sa responsabilité. Une défausse qui permet à Carlos de ne pas exécuter sa promesse, l'exécution des ministres saoudien et iranien.

L'avion reprend l'air et atterrit à Alger. La libération des otages est très médiatisée. Une photo en particulier fait le tour du monde : Carlos, mince, béret sur la tête et lunettes de soleil, marchant tranquillement sur le tarmac de l'aéroport d'Alger.

Le terroriste est en train de devenir un mythe. La prise d'otages de Vienne a beaucoup fait pour enrichir sa légende et sa bourse : les Algériens lui ont accordé une grosse récompense afin de le remercier de ne pas avoir tué les ministres. Sans hésitation, Carlos a mis cette somme dans sa poche ! Et bientôt, il monnaiera ses services !

Il goûte ensuite un repos du guerrier mérité. D'autant que ses relations avec Haddad se sont détériorées. Parce qu'il n'a pas exécuté jusqu'au bout les ordres qui lui avaient été donnés. Ainsi le chef palestinien lui refuse d'organiser la prochaine action du mouvement : le

---

1. Naccache essaiera plus tard d'assassiner Chapour Bakhtiar, l'ancien Premier ministre iranien.

détournement d'un vol Tel-Aviv-Paris qui se terminera sur l'aérodrome ougandais d'Entebbe par l'élimination du commando des pirates au cours d'un raid particulièrement audacieux des militaires israéliens.

C'est en Yougoslavie, où il séjourne dans un hôtel de luxe et dépense sans compter, que Carlos prend connaissance de cet échec. Ici se place un épisode plutôt amusant qui témoigne de la notoriété de Carlos. Le président Giscard d'Estaing doit effectuer une visite d'État en Yougoslavie. Les services de renseignement français apprenant que Carlos séjourne dans le pays demandent aussitôt aux autorités de Belgrade de l'éloigner.

Les Yougoslaves, très poliment, s'adressent à Carlos et expriment leur désir de le voir partir. Le terroriste est donc prié de prendre un avion à destination de Bagdad. En première classe, naturellement. Coïncidence, c'est à Bagdad que Wadi Haddad meurt d'une leucémie et bénéficie de funérailles dignes d'un chef d'État.

Après ce décès, Carlos se sent encore plus libre. C'est le moment qu'il choisit pour faire écrire par un ami écrivain sa biographie. Il n'a pas encore 30 ans.

Dans ce texte, il n'hésite pas à détailler tous les meurtres qu'il a commis de sang-froid. Il raconte par exemple par le menu le triple assassinat de la rue Toullier et se présente en révolutionnaire fidèle au marxisme.

Il vit alors à Bagdad dans une superbe villa que lui ont octroyée les autorités irakiennes. Il y accueille ses amis Johannes Weinrich et Magdalena Kopp qui ont jugé plus prudent de quitter l'Allemagne après de sérieuses investigations de la police dans le cercle des cellules révolutionnaires. Toutefois leur séjour à Bagdad est bref.

Carlos, un peu trop voyant, est prié une nouvelle fois de partir. Mais il ne quitte pas l'Irak les mains vides : les services secrets lui ont remis deux cent mille dollars en billets.

Il s'installe ensuite à l'hôtel *Intercontinental* de Budapest tandis que Weinrich et Kopp louent à proximité une villa qui leur sert aussi à cacher des armes. Dans la Hongrie communiste, le trio doit être assez vite repéré. D'autant que Carlos ne fait rien pour se dissimuler. Au bar ou dans les boîtes de nuit de la capitale, il n'est pas avare de gros billets en dollars. Un mode de vie qui attire forcément l'attention.

Il prend toutefois la précaution de changer très souvent d'hôtel. Ce qui ne trompe personne, et surtout pas les services hongrois.

Par ailleurs, il voyage beaucoup. Uniquement en Europe de l'Est. On le voit par exemple à Berlin où il a vraisemblablement approché la Stasi. Il cherche en effet de nouveaux contrats : le pactole irakien s'épuise rapidement. C'est pourquoi Carlos noue aussi des relations avec de nombreux autres services secrets des pays de l'Est. Il se voit ainsi proposer un contrat par la trop célèbre Securitate roumaine. Il s'agit de perpétrer un attentat à Munich contre le siège de Radio Free Europe dont la propagande pro-occidentale irrite au plus haut point les oreilles de Ceausescu.

En d'autres occasions, Carlos, toujours en quête d'argent, utilise des procédés de voyou. Il rackette ainsi certains riches pays arabes. « Si vous ne payez pas, je fais sauter l'une de vos ambassades. » En même temps, Carlos essaie de structurer les gens sur lesquels il peut compter.

Il se produit aussi un changement notable dans la vie privée de Carlos.

Magdalena Kopp est une créature magnifique aux dires de tous ceux qui l'ont connue. Un soir, alors que Weinrich est en voyage, Carlos se rend chez la jeune femme, plusieurs bouteilles à la main. Le lendemain matin, lorsque Carlos et Magdalena se réveillent, ils s'aperçoivent qu'ils sont couchés dans le même lit.

Cependant, malgré cette période de flottement dans l'existence de Carlos, le terroriste n'a rien perdu de sa dangerosité. Un seul exemple : par l'intermédiaire d'un Irakien qui est très probablement un agent des services secrets, Carlos reçoit une demande d'interview d'un journaliste allemand, Karl-Josef Pfeffer. Coïncidence ou pas, quelques jours plus tard, le journaliste est retrouvé mort à Beyrouth.

Carlos a peut-être trouvé là une façon radicale de prendre ses distances avec cet agent irakien.

En tout cas, le terroriste, où qu'il aille, a toujours fait l'objet d'une étroite surveillance de la part des services secrets de l'Est. Des services qui savaient parfaitement que leurs homologues de l'Ouest n'avaient de cesse de dénoncer la collusion entre le terrorisme et l'« empire du mal », comme disait Ronald Reagan. Si Carlos était utilisé, ce devait être à petite dose et le plus discrètement possible. Car le terroriste n'hésitait jamais à se mettre en valeur et à se vanter de ses sinistres exploits. Pour satisfaire son ego et aussi pour justifier les énormes émoluments qu'il facturait à ses commanditaires. Car plus on parlait de lui et plus il était cher. Un talent pour les affaires qu'il avait sans doute hérité de son père, un marxiste qui n'a jamais oublié d'arrondir sa pelote.

Il faut ajouter que Weinrich, le lieutenant allemand de Carlos, a été approché par la Stasi et qu'il est devenu un informateur de la police secrète est-allemande, tout en continuant à travailler pour Carlos. Un nouvel élément qui accrédite l'idée que Carlos et sa petite organisation étaient très liés aux services de l'Est.

> **Serge Raffy, journaliste[1] :**
> « *En 1969, Illitch réalise son rêve. Il part pour l'université Patrice-Lumumba, à Moscou. L'adepte des révolutions chaudes découvre le socialisme de glace. Illitch Ramirez à Moscou, c'est Zapata dans un sovkhoze de Sibérie. "Viva la muerte !" au pays des bouleaux. C'est sans doute dans ces deux années moscovites que se trouve la clé de l'énigme Carlos. Le juge Bruguière en est persuadé, comme beaucoup d'autres spécialistes du terrorisme. Pendant deux ans, le jeune Vénézuélien venu de Londres est un étudiant plus que médiocre. Il fait la noce dans les restaurants de la rue Gorki, court les filles, provoque quelques bagarres, et disparaît pendant sept mois. Ses camarades d'alors se souviennent de ses longues absences. Où était Carlos ? Dans un centre de formation du KGB ?*
> *Aujourd'hui, on en est convaincu, à cause d'une cassette vidéo hongroise où Carlos parle au chef des services secrets, en russe, comme à un agent traitant. L'homme au béret noir, alias Adolfo José Muller, alias Charles Clarke, alias Glenn H. Gebhard, alias Carlos Andres Martinez-Torres, simple jouet des hommes gris de la Place-Djerzinski ?... "Ne trouvez-vous pas étrange, raconte un responsable de la BND[2], qu'après*

---

1. *Le Nouvel Observateur*, août 1994.
2. Services secrets de la RFA.

> *sept mois de disparition les Soviétiques aient monté une incroyable mise*
> *en scène pour exclure Carlos de l'université ? Ils ont fait tout un tapage*
> *autour de son 'dilettantisme'. Ils ont convoqué bruyamment le conseil de*
> *l'université pour annoncer son exclusion pour 'hooliganisme'. Avant de*
> *le renvoyer dans le circuit occidental, on lui colle une image anticom-*
> *muniste. Classique. En termes de renseignement, nous appelons ça*
> *'préparer une bio'. Pour nous, il est évident que Carlos est un agent des*
> *Soviétiques." »*

En 1979, après avoir séjourné à Berlin-Est, Carlos revient à Budapest, sa première villégiature à l'Est. Il est bien sûr accompagné de Magdalena Kopp qui est devenue sa compagne et de Weinrich. Abandonné, celui-ci demeure néanmoins le lieutenant de Carlos.

Les trois terroristes font alors l'objet d'une surveillance accrue car le chancelier allemand, Helmut Schmidt, doit effectuer une visite officielle en Hongrie. Mais ça ne plaît guère au Vénézuélien.

Carlos, qui a très bien compris que les Hongrois seraient ravis de le voir quitter le pays, leur joue un tour à sa façon. Un jour, ayant sans aucune difficulté repéré la voiture suiveuse attachée à ses pas, une auto immatriculée en Allemagne fédérale, il braque l'un des agents lorsque celui-ci descend pour acheter des cigarettes. Sous la menace de son pistolet, il le conduit jusqu'au poste de police le plus proche où il explique qu'il vient de démasquer un espion de l'Ouest.

Les policiers sont bien obligés d'enfermer provisoirement leur collègue sous l'œil goguenard de Carlos. Au-delà de l'aspect comique de l'anecdote, cet épisode montre que Carlos se sent très à l'aise en Hongrie et qu'il peut y faire à peu près n'importe quoi. Ce qui tend à conforter la thèse de ceux qui pensent que le terroriste est un agent de l'Est.

Cependant une autre explication est possible : si Carlos peut se permettre ce genre de plaisanterie sous un régime qui goûte assez peu l'humour, c'est qu'il est peut-être en mesure d'exercer une sorte de chantage sur les autorités hongroises.

Les policiers hongrois, profitant d'une absence du terroriste et de ses amis, fouillent leur villa et découvrent un impressionnant arsenal. Un peu plus tard, s'apercevant à nouveau qu'il est pris en filature, Carlos descend de son taxi et vide son arme sur la voiture suiveuse.

Il s'ensuit une discussion assez orageuse avec le chef des services secrets hongrois. Le terroriste comprend qu'il doit quand même quitter Budapest.

On le voit alors à Berlin-Est, en Libye et puis en Roumanie où Ceausescu lui a donc confié la tâche de perpétrer un attentat contre Radio Free Europe. Le terroriste sous-traite le contrat. Mais les artificiers qu'il a recrutés se trompent de cible. Au lieu de placer leur bombe devant l'immeuble de la section roumaine de la radio, ils l'ont posée devant la section tchécoslovaque. Ceausescu n'en a donc pas eu pour son argent et le fait vertement savoir !

Si Carlos, qui est en principe recherché par toutes les polices du monde, arrive à passer autant de frontières, en évitant quand même de se rendre à l'Ouest, c'est qu'il dispose d'excellents passeports dont il ne cesse de changer. Ce qui demande une gestion rigoureuse de tous ces faux documents. Magdalena Kopp, photographe expérimentée et secrétaire de la petite organisation de Carlos, s'occupe de cette délicate besogne.

Mais la jeune femme ne se limite pas à ce « travail de bureau ». Son compagnon l'a chargée de préparer un attentat à Paris. Il s'agit là d'une commande syrienne. Hafez Al-Assad veut se débarrasser du rédacteur en chef d'un journal arabe qui paraît dans la capitale française, *Al Watan al Arabi*. Cette publication a le tort de ne pas être assez complaisante avec le président syrien.

Carlos accepte le contrat car les caisses sont vides.

En février 1982, Magdalena se rend à Paris. Elle est accompagnée d'un citoyen suisse, Bruno Bréguet, le protégé d'un personnage sulfureux, le fameux banquier nazi François Genoud.

Les deux terroristes rencontrent tout de suite de nombreuses difficultés. Premièrement, Magdalena se fait voler son sac. À l'intérieur se trouvent non seulement l'argent liquide qui doit lui permettre d'accomplir sa mission mais aussi tout un jeu de faux passeports. Ce n'est qu'un début ! Un complice chargé de convoyer jusqu'à Paris une voiture bourrée d'explosifs ne se trouve pas au rendez-vous prévu pour confier au couple de terroristes les clefs du véhicule garé dans un parking souterrain. Et quand enfin Magdalena et Bréguet parviennent à récupérer ces clefs, ils se rendent compte que le complice a oublié de leur donner le ticket qui leur permettra de quitter ce parking situé près des Champs-Élysées.

Tout cela n'est pas très professionnel. Les deux terroristes vont le payer très cher. Sans ticket, ils ne peuvent sortir l'automobile, à moins de passer en force. Leur attitude paraît suffisamment suspecte pour que deux gardiens viennent leur demander des explications. Bréguet sort une arme, tente d'abattre les deux hommes. Mais son pistolet s'enraye.

Pris au piège, Kopp et Bréguet s'enfuient à pied. La police est alertée ; les deux terroristes ne tardent pas à être arrêtés.

Échec total, donc. Et fureur de Carlos qui est décidé à tout entreprendre pour obtenir la libération de sa compagne, dont il est très amoureux, et de Bréguet.

Alors il accomplit quelque chose d'assez inouï : il envoie une lettre au ministre français de l'Intérieur, Gaston Defferre, afin d'exiger l'élargissement des deux terroristes. Et pour prouver son identité, il appose ses empreintes digitales sous sa signature. Il sait en effet que, depuis l'affaire de la rue Toullier, la police française dispose de ses empreintes.

Comme Defferre n'a aucune intention de céder à Carlos, celui-ci passe à l'action : deux attentats visent l'ambassade et le centre culturel français à Beyrouth. Les autorités françaises ne bougeant toujours pas, le train Toulouse-Paris est frappé. Cinq personnes périssent dans cet attentat. Jacques Chirac, leader de l'opposition, devait se trouver à bord. Mais, au dernier moment, il a choisi de regagner la capitale en voiture.

L'épreuve de force entre Carlos et le gouvernement français continue. Deux bombes éclatent à Vienne, l'une contre les bureaux d'Air France, l'autre contre notre ambassade. Et comme les autorités françaises persistent à vouloir juger Kopp et Bréguet, Carlos frappe encore plus fort et fait monter les enchères.

Au mois d'avril 1982, à Beyrouth, l'un de nos diplomates et sa compagne sont assassinés. Le gouvernement français n'étant toujours pas décidé à faire un geste en faveur de Kopp et Bréguet, le terroriste charge son lieutenant Weinrich d'organiser un attentat à Paris.

La cible désignée est ce journal que les Syriens lui ont demandé de punir. À commencer par son rédacteur en chef qui doit périr dans l'attentat. Ainsi Carlos fait coup double : non seulement il remplit son contrat mais il montre une nouvelle fois à la France sa détermination.

Le 30 avril 1982, l'attentat de la rue Marbeuf est d'une violence inouïe. Un mort, plus de soixante blessés : la voiture bourrée d'explosifs garée par Weinrich devant l'immeuble du siège d'*Al Watan* provoque des dégâts considérables. Mais le rédacteur en chef du journal, en retard sur son horaire habituel, est sain et sauf.

Ce nouveau coup n'entame pas la détermination du gouvernement français. Kopp et Bréguet sont condamnés à quatre et cinq ans de prison ferme. Carlos se venge en perpétrant un nouvel attentat. Encore une fois à Beyrouth. L'ambassade de France est durement frappée : onze personnes perdent la vie.

Cependant, l'organisation de Carlos subit des coups très lourds. Des arrestations ont lieu. Weinrich lui-même est interpellé à Berlin-Est avec une cargaison de vingt-cinq kilos d'explosifs. La Stasi ne l'a pas lâché mais à l'évidence, elle entend prendre ses distances.

Carlos, naviguant entre Bucarest et Damas, espère toujours faire libérer sa compagne et Bruno Bréguet. Il imagine même des plans d'évasion. Mais en même temps il essaie de négocier avec les autorités françaises en proposant l'arrêt des attentats. Il semble bien que l'avocat Jacques Vergès ait conduit ces tractations avec des personnages proches de l'Élysée. A-t-il été entendu ? On peut simplement noter que Kopp et Bréguet seront libérés après avoir effectué un peu plus de la moitié de leur peine.

La clémence de la France, si clémence il y a eu, a donc été toute relative.

Aussi Carlos continue-t-il à s'attaquer aux intérêts français ! D'abord la Maison de la France à Berlin. L'attentat est réalisé avec les vingt-cinq kilos d'explosifs saisis par la Stasi lors de l'interpellation de Weinrich. Les services est-allemands les lui ont donc rendus, à condition que ces explosifs ne soient pas utilisés contre un pays européen. Conséquence, Weinrich est maintenant *persona non grata* en Allemagne de l'Est. Ensuite trois valises piégées explosent dans le train Marseille-Paris le 1er janvier 1984. Puis la gare Saint-Charles est une nouvelle fois frappée vingt-cinq minutes plus tard : cinq morts au total.

Il faut aussi évoquer un attentat contre le centre culturel français à Tripoli et un autre contre les locaux de l'Aérospatiale à Paris. Mais Carlos en reste là. D'ailleurs, en mai 1985, Magdalena Kopp sort de prison.

Une anecdote en passant : pendant toute sa détention, Magdalena a été étroitement surveillée. Seul son avocat, Jacques Vergès, était autorisé à lui rendre visite, Jacques Vergès à qui elle a tricoté un pull. L'avocat, bien qu'il s'en défende aujourd'hui, n'a pas dû être insensible au charme de la jeune femme : quand celle-ci a été libérée, il lui a fait à son tour un cadeau : une bague et un collier avec une étoile en pierre rouge.

Cependant, la jeune femme n'a rien de plus pressé que de retrouver Carlos qui se trouve alors à Damas et s'ennuie. Peu à peu, les pays de l'Est refusent de l'accueillir. Le cercle se rétrécit. Et l'argent commence à manquer. La question financière est d'autant plus cruciale que le terroriste n'est pas décidé à renoncer à son luxueux train de vie et qu'il a maintenant charge d'âme : Magdalena lui a donné une petite fille, Rosa Elbita.

Bientôt, Carlos est obligé de reprendre sa vie d'errance. Auparavant, il a quand même réussi un coup assez fumant avec l'aide du banquier François Genoud, exécuteur testamentaire de Hitler, Goebbels et Bormann. Carlos est sollicité pour organiser l'enlèvement du fils du richissime marchand d'armes saoudien Akram Ojjeh.

Pour mener à bien cette opération commanditée par l'un des nombreux ennemis du marchand d'armes, Carlos fait appel à François Genoud qui connaît très bien Ojjeh. Ils ont même créé un établissement financier ensemble.

Le banquier nazi informe Ojjeh des menaces qui pèsent sur son fils. La réaction du marchand d'armes est immédiate : il paie aussitôt avant même la tentative d'enlèvement et met sur la table sept millions de dollars. Une jolie somme que se sont partagés Genoud et Carlos.

À cette occasion, il s'agit purement et simplement de banditisme ! Même si Carlos se justifiera en mettant en avant les liens qui unissent Ojjeh et le régime corrompu de l'Arabie saoudite.

C'est en tout cas nantis d'un solide magot que Carlos et sa petite famille essaient de trouver un pays qui accepte de leur donner asile. Mais le couple n'est plus aussi uni. Certes, Magdalena est toujours amoureuse. Cependant des dissensions sont apparues. La jeune femme a été choquée par l'exécution d'un membre de leur petite organisation. Un Allemand que Carlos soupçonnait de jouer double jeu et qu'il a abattu de sang-froid. Elle soupçonne même son compagnon, qui voit des espions partout, de vouloir se débarrasser de son ami Weinrich.

Carlos a manifestement beaucoup changé. Peut-être parce qu'il se sent de plus en plus traqué. Les services tchèques, pour s'en débarrasser, lui ont d'ailleurs affirmé que des Français étaient sur ses talons. Enfin une dernière raison explique que peu à peu Magdalena se soit détachée de Carlos. Quand Genoud est venu à Damas, lors de l'affaire Ojjeh, le banquier lui a demandé de le conduire dans une maison de la ville. La jeune femme s'est aperçue qu'il s'agissait du refuge du criminel nazi, Aloïs Brunner, protégé depuis toujours par les Syriens. Magdalena a été horrifiée. Parce qu'elle était venue à l'action politique justement par réaction contre le passé nazi de son père !

L'errance de Carlos se poursuit. Refoulé par la Libye, il l'est ensuite par le Yémen. Et très curieusement, il choisit de s'installer en Jordanie, un pays arabe, mais pro-occidental. Le terroriste ne s'y sent pas à l'aise. Il songe même à subir une opération de chirurgie esthétique pour changer de visage.

Mais finalement, il renonce et revient de la clinique après une opération où, très préoccupé par son physique, il s'est fait dégraisser la poitrine. En même temps, Magdalena, qui est devenue Mme Ramirez-Sanchez, choisit de partir au Venezuela où elle est accueillie par sa belle-famille.

Carlos ne regrette pas ce départ : il est tombé fou amoureux d'une jeune Jordanienne, Lana. Le terroriste, converti depuis longtemps à l'islam, l'épouse et s'envole vers le Soudan, son dernier refuge !

Roland Jacquard et Dominique Nesplèzes[1] :
« Pour ses avocats, Carlos est un mur, mais un mur percé de fenêtres largement ouvertes sur un ego démesuré. Les seules informations qu'il

---

1. *Carlos, le dossier secret*, Jean Picollec, 1997.

> *lâche au compte-gouttes sont celles qui peuvent brouiller les pistes ou encore pourront le "faire mousser", sans que pour autant il devienne un délateur. [...] Carlos apparaît comme un homme déphasé. Il a passé toute sa vie dans des pays régis par des dictatures, derrière le rideau de fer ou dans le monde arabe, sans parler de l'Amérique du Sud de son enfance. Son expérience du monde réel se limite à la perception d'un ordre établi communiste ou autocratique oriental qui ressemble plus au* Meilleur des mondes *d'Orwell qu'au monde des démocraties policées vu par Alexis de Tocqueville. Carlos est en réalité un être inadapté dans une démocratie occidentale. Il n'en comprend ni les ressorts, ni les subtilités, ni surtout les perversions. Il a du mal à imaginer qu'un État de droit n'a pas systématiquement recours à la méthode du "coup tordu" voyant et grossier pour arriver à ses fins, y compris pour le juger et le condamner. Sa vie entière n'a été que manipulations et montages périlleux ou aléatoires pour survivre, fuir et combattre.* »

Avec sa jeune épouse jordanienne, il arrive au Soudan en 1993.

Quand il débarque à Khartoum, le terroriste est un homme aux abois. Son organisation n'existe plus, la plupart de ses amis l'ont abandonné ou ont été arrêtés. Et la chute du mur de Berlin l'a coupé de tous ses contacts à l'Est.

Les dirigeants soudanais ont accepté de l'accueillir car leur pays est alors gouverné par des islamistes radicaux dont le chef de file s'appelle Hassan Al-Tourabi.

Ben Laden s'est lui aussi provisoirement installé au Soudan, devenu pour les Occidentaux le principal sanctuaire des terroristes islamistes et qui se trouve même menacé d'embargo par la communauté internationale.

Dans ce pays rigoriste, la vie n'est pas très gaie. Heureusement, Carlos a réussi à dégoter un club arménien où il peut jouer aux cartes, danser et boire de l'alcool.

Terroriste retraité, il se cache sous l'identité d'un certain Abdallah Barakhat, honorable commerçant libanais. Apparemment, personne ne le soupçonne d'être le fameux Carlos recherché par toutes les polices.

Toutefois, au plus haut sommet de l'État soudanais, on n'ignore pas qui se dissimule sous ce nom.

Un autre homme sait aussi ce qu'il en est : François Genoud. Le banquier lui envoie régulièrement de l'argent et assure une partie de son train de vie.

Le Soudan, en raison de son soutien au terrorisme international, est donc au ban des nations. Toutefois, un pays au moins continue d'entretenir de bonnes relations avec le Soudan : la France !

Il y a à cela plusieurs raisons dont une, au moins, relève de la géopolitique et de la traditionnelle rivalité en Afrique entre la France et les pays anglo-saxons. L'Ouganda, en passe de devenir une importante puissance régionale, est alors le fer de lance de l'influence anglo-saxonne dans l'est de l'Afrique. On en aura la preuve lors du drame rwandais où, après les massacres hutus, l'armée tutsi, puissamment soutenue par les Ougandais, prendra le pouvoir dans ce pays francophone.

Autre raison, la rébellion au Sud-Soudan menée par l'armée chrétienne de John Garang. Comme elle reçoit *via* le Rwanda des armes fournies par les Américains, les services français ont tendance à prendre le contre-pied. D'autant que ça se passe tout près de notre pré carré francophone, Tchad et Centrafrique.

Autant de motifs qui font qu'on assiste à un rapprochement entre le Soudan et la France. Un rapprochement discret : le Soudan est effet placé par les États-Unis sur la liste des pays voyous !

Il existe enfin une dernière raison : nos services de renseignement surveillent de très près ce qui se passe en Algérie où, après la confiscation du succès électoral du FIS par les généraux, le GIA, son bras armé, a déclenché une véritable guerre civile[1] et perpétrera des attentats sur notre sol. Paris compte sur la proximité idéologique entre islamistes soudanais et algériens pour amorcer des contacts avec le FIS afin de prévenir des attentats et obtenir des informations sur l'opposition islamiste en Algérie. Tout cela sous l'égide des services de renseignement soudanais.

---

1. Voir chapitre II.

Ce qui est quand même très curieux, c'est que cette politique est pilotée par le seul ministère de l'Intérieur qui court-circuite donc les Affaires étrangères.

Place Beauvau, c'est le « terrible Monsieur Pasqua », comme l'a appelé un journaliste, qui règne et contrôle en particulier la DST.

Charles Pasqua qui voulait terroriser les terroristes aimerait bien accrocher à son revers une nouvelle médaille. Une récompense pour une victoire qui pèserait très lourd sur le plan politique : la responsabilité de la capture de Carlos.

Pour obtenir ce succès, le ministre est prêt à faire beaucoup de concessions. Et même des cadeaux.

Sur le terrain, le maître d'œuvre est tout désigné : ce sera le général Rondot, désormais célébrissime à cause de l'affaire Clearstream. Mais à l'époque, très peu de gens connaissent cet homme de l'ombre qui fuit résolument les projecteurs de l'actualité. En 1994, Rondot, transfuge de la maison rivale, le SDECE devenu la DGSE, est une sorte d'électron libre au sein de la DST. Autre particularité, c'est un spécialiste de la civilisation arabe qui a noué de solides relations avec nombre de services secrets de la région. Enfin, Rondot est sur les traces de Carlos depuis fort longtemps. Il en a même fait une affaire quasi personnelle.

Comment Rondot a-t-il découvert que Carlos se trouvait au Soudan ? Il n'y a que deux réponses possibles. La première paraît assez improbable : François Genoud aurait pu trahir le terroriste. Mais pourquoi ? Et puis c'est un peu contradictoire avec la suite : le banquier nazi sera en effet l'un de ses plus fermes soutiens lorsque Carlos sera emprisonné en France.

La deuxième version est plus crédible : les Soudanais et leur guide spirituel et politique, Hassan Al-Tourabi, en ont assez de Carlos qui ne leur est d'aucune utilité et risque à terme de leur créer des ennuis.

Rondot bénéficie donc d'un précieux tuyau en provenance de Khartoum. Il engage aussitôt le dialogue avec le chef des services secrets soudanais pour fixer les conditions dans lesquelles Carlos pourra être capturé et enlevé.

En août 1994, Carlos décide de se faire opérer. Une intervention chirurgicale bénigne qu'il a pourtant longtemps repoussée : la réduction d'une varice sur un testicule. L'opération se déroule très bien. Le 13 août, encore à demi anesthésié, Carlos regagne sa chambre à la clinique.

Aux alentours de 20 heures, trois hommes se présentent dans cet établissement médical. Ils prétendent appartenir à la Sécurité d'État et annoncent aux médecins que l'homme qu'ils viennent d'opérer est recherché dans le monde entier et que sa vie est menacée. Il convient donc de le mettre en lieu sûr.

Carlos, à demi conscient, est embarqué. Le lendemain, le terroriste est enfermé et tenu au secret. Et dans la nuit qui suit, coiffé d'une cagoule et après avoir reçu une injection de somnifère, Carlos est transporté à bord d'un petit avion à réaction aux couleurs de la France. Quand il se réveille, il constate qu'il se trouve sur l'aérodrome militaire de Villacoublay. Puis il est immédiatement conduit à Paris et emprisonné en vertu d'un mandat du juge Bruguière.

Carlos a donc été victime d'un véritable enlèvement, ce qui suscitera maintes polémiques. Mais, curieusement, son avocat, Jacques Vergès, ne suivra pas les autres défenseurs qui voulaient porter plainte contre l'État français.

Pour arriver à ce résultat, un véritable marché a été passé entre la France et le Soudan. La France a mis dans le plateau de la balance un gros paquet-cadeau !

Détaillons : il y a d'abord, et c'est classique, des fournitures d'armes et la promesse d'aider l'armée soudanaise et les services secrets à se réorganiser. Ensuite viennent des modalités financières : réduction de la dette et nouveaux prêts. Mais l'essentiel est ailleurs. Le gros problème du Soudan, c'est cette rébellion sudiste qui n'en finit pas.

Paris, pour obtenir Carlos, donne un sérieux coup de main à l'armée soudanaise : d'abord en lui fournissant des photos aériennes des positions rebelles. Ensuite en obtenant du Centrafrique et du Zaïre l'ouverture de leurs frontières afin que les militaires soudanais puissent pourchasser les rebelles et les prendre à revers.

Il s'agit d'une très grave ingérence dans un conflit qui, après tout, ne concernait pas notre pays. Charles Pasqua a nié énergiquement l'existence de ce marché. Mais comment justifier la très discrète visite que lui a faite Hassan Al-Tourabi fin juillet 1994, c'est-à-dire quelques jours avant l'enlèvement de Carlos ? À l'évidence, le marché a été finalisé à cette occasion.

Cette collusion franco-soudanaise avait été ébauchée depuis plusieurs mois. Au fond, en choisissant de venir se réfugier au Soudan, Carlos est tombé dans un piège fort bien élaboré.

Dans ce dossier, une question demeure pendante : pourquoi le Mossad n'a-t-il pas éliminé Carlos ? Le service israélien en avait incontestablement les moyens. Il suffit de se souvenir de la « liste de Golda » ! Tous les hommes qui avaient peu ou prou une responsabilité dans le massacre des JO de Munich ont été tués les uns après les autres par des commandos de l'État hébreu.

Carlos, lié à la mouvance la plus radicale de la cause palestinienne, n'aurait-il pas dû être une cible prioritaire pour les Israéliens ?

Or il n'en a rien été. Il faut donc se demander si Carlos, assassin et terroriste légendaire, n'était pas plus utile vivant que mort. Car sa seule existence, comme celle d'Abou Nidal, permettait de criminaliser la cause palestinienne ! La preuve : une première tentative d'enlèvement de Carlos par les services français, en 1977 au Venezuela, a échoué à cause des Israéliens qui ont éventé ce projet et donné indirectement l'éveil à Carlos qui s'est empressé de fuir.

Table des matières